O MELHOR LIVRO SOBRE NADA

Jerry Seinfeld

O MELHOR LIVRO SOBRE NADA

Tradução
Ronald Fucs

FRENTE
EDITORA

Frente Editora Ltda.
Telefax: 256-2763
e-mail: frenteed@ig.com.br
Caixa Posta: 10873 – CEP 22022-970 – RJ
Seinlanguage Bantam Books/Setembro 1993

O melhor livro sobre nada

Coordenador editorial: *Jorge Sayão*
Revisão tipográfica: *Michele Sudoh*
Capa: *Minion Tipografia Editorial*
Diagramação: *Minion Tipografia Editorial*

Catalogação na fonte do
Departamento Nacional do Livro

Seinfeld, Jerry.
S461 O melhor livro sobre nada / Jerry Seinfeld. — Rio de Janeiro: Frente, 2000.
160p.; 14x21cm

ISBN 85-86166-20-0

1. Humorismo americano. I. Título.

CDD-817

Quando eu era garoto, meu pai costumava me levar para passear de carro. Ele tinha uma loja de cartazes em Long Island, chamada Kal Signfeld[1] Cartazes Ltda. Eu ficava no carro, apoiado na janela, e foi ali que descobri um dos grandes prazeres desta vida: ver outras pessoas trabalhando.

Na verdade, ninguém era mais divertido de ver trabalhar que o meu pai. Nunca houve um comediante com mais presença de palco do que ele, melhor *timing* ou melhor entonação de voz. Era um gênio cômico vendendo cartazes de plástico que diziam coisas como "Alugam-se TVs em Cores", ou de papelão dizendo "Fazemos Inseminação Artificial em Gado Natural".

O que eu mais lembro daquelas tardes é como meu pai costumava me dizer: "Às vezes eu nem me incomodo se recebo a encomenda ou não, só quero fazer o cara perder a pose." Ele

---

[1] N.T. Em inglês, a palavra "Signfeld" pronuncia-se exatamente como Seinfeld. O trocadilho está em que "sign" significa sinal, cartaz.

detestava gente com cara solene de homem de negócios. Acho que é por isso que, como eu, ele nunca conseguiu um emprego de verdade.

Às vezes, quando estou no palco, me pego imitando os gestos ou o jeito dele.

Só para fazer os caras perderem a pose.

Isso era uma coisa muito apreciada lá em casa. Lembro que quando aparecia um cômico na televisão, minha mãe dizia: "Agora fiquem quietos." A gente podia falar durante o noticiário, mas não durante os programas cômicos. Aquilo era importante.

E eu tinha orgulho de ser o único garoto do bairro com uma coleção completa dos discos de Bill Cosby. Era meu comediante favorito, e o primeiro negro a ser o astro de uma série de TV. Para mim, no entanto, o mais importante é que ele era o primeiro adulto na TV a sempre usar tênis. Isso me influenciou muito, se bem que eu não sei de que maneira.

Meu pai chegou a me ver fazendo sucesso como comediante, e sempre me apoiou com o maior entusiasmo. Ensinou-me que isso é um dom que a gente deve dar para os outros. E como ele me deu, espero que eu seja capaz de dar para vocês.

INTRODUÇÃO

Aos 15 anos, quando comecei a escrever essas idéias engraçadas que passavam sempre pela minha cabeça, eu não imaginava que algum dia elas iam acabar virando um livro. Na verdade, nunca achei que elas fossem virar coisa alguma. Mas muita gente tem esse cantinho do cérebro que quer brincar o tempo todo. A idéia deste livro, para mim e para você, é manter vivo esse cantinho. É bom brincar, e a gente deve praticar.

Ainda não consigo acreditar que este livro esteja numa livraria. Adoro livrarias. São as únicas provas concretas de que as pessoas ainda estão pensando. E gosto da maneira como elas se dividem em ficção e não-ficção. Ou seja: esses caras aqui estão mentindo, aqueles ali estão falando a verdade. É assim que o mundo deveria ser.

"Oi, sou Jerry Seinfeld. Sou ficção."

"Eu sei."

"Sabe como?"

"É que eu sou não-ficção."

Reparei também que uma livraria é um laxante maravilhoso. Não sei por quê. Não sei se é o silêncio ou todo o material disponível para leitura, mas basta entrar ali e acontece uma coisa. Acho mesmo que eles deviam eliminar um par de estantes e botar uns banheiros no fundo, aí seria maravilhoso visitar uma livraria.

O maior problema das livrarias é que não há lugar bastante para vender coisas junto da caixa registradora. Parece que eles acham que aquele é o único lugar bom de verdade para vendas. Eles pensam: "Esse negócio só vai vender se o cara já tiver tirado a carteira do bolso." Por que não dar a cada vendedor sua própria caixa registradora e deixar que eles fiquem seguindo os clientes pela loja? Quando eles vêem alguém pegar um livro, correm para trás dele e... plin! O cliente se vira e diz: "Bem, já que você já registrou..."

Tenho a impressão que o maior concorrente do livro é o vídeo, porque por algum motivo as pessoas sentem a necessidade de levar para casa alguma coisa retangular da qual não sabem o fim. A vantagem do livro é que é fácil de rebobinar. Basta fechar e a gente volta para o começo.

Deve ser frustrante trabalhar numa livraria. Você vê alguém entrar, ficar duas horas por ali e sair com nada. Dá vontade de explodir, dar um safanão no cliente quando ele estiver saindo e dizer: "Então você acha que sabe tudo? Não há nada que você precise aqui? Deve haver alguma coisa em que você esteja pelo menos interessado. Por que você veio para cá? Nós não precisamos de você!"

De certa forma, é isso que uma livraria é. Uma loja "mais esperta do que você". E é por isso que as pessoas ficam intimidadas. Porque para entrar numa livraria, você precisa admitir que há algo que você não sabe.

E o pior é que você nem sabe o que é. Você entra e tem de perguntar às pessoas: "Onde está isso? Onde está aquilo? Eu não só não tenho conhecimento como nem sei onde conseguir." Portanto, é só entrar numa livraria e você está admitindo para o mundo que você não é muito sabido. Coisa impressionante.

Mas quem está sob pressão agora é você. Este livro está cheio de idéias engraçadas, mas você é que tem que fazer o *show*. Portanto, quando estiver lendo, lembre-se: *timing*, inflexão, atitude... isto é comédia. Já fiz a minha parte. O desempenho agora é com você.

E se a alguma altura você notar que não está achando graça, mantenha o sorriso, enxugue a testa e siga em frente.

A AUTO-ESTRADA DO AMOR

É isso aí. Desisto. Não sei mesmo o que as mulheres estão pensando. Já falei com elas, estudei-as, pedi a elas que me estudassem. E tenho de admitir que voltei à estaca zero. Não que eu me queixe da estaca zero. É a única estaca que tem um número, pelo menos você sabe qual é a sua posição. Não tem isso de alguém se dar mal e voltar para a estaca sete. Acho que, no fundo, estamos todos felizes por não entendermos nossos relacionamentos. Isso mantém nossas mentes funcionando. Acho que temos de agradecer pela única coisa em nossas vidas que impede que fiquemos totalmente concentrados em comer.

O ENCONTRO

Um encontro é pressão e tensão. Afinal, o que é mesmo um encontro, senão uma entrevista de emprego que dura a noite toda? A única diferença entre um encontro e uma entrevista de emprego é que não há muitas entrevistas de emprego em que você tem uma boa chance de acabar nu.

"Então, Zé, o chefe acha que você é o homem certo para ocupar a vaga. Por que você não tira a roupa e vai conhecer algumas das pessoas com que você vai trabalhar?"

Talvez precisemos de algum ritual pré-encontro. Talvez o primeiro encontro seria numa daquelas salas em que você visita prisioneiros. Tem aquele vidro entre os dois. Vocês falam por aqueles telefones. A gente pode ver como isso funciona antes de tentar um encontro de verdade. Desta forma, a única tensão sexual é decidir se você deve botar a mão no vidro ou não. E se em algum momento você se sentir desconfortável, é só acenar para o guarda e ele leva a outra pessoa para fora.

É difícil se divertir quando você está se sentindo sob avaliação. Deveríamos dizer: "Você parece legal. Que tal a gente se encontrar um dia desses para fazer um escrutínio?"

Porque é isso que acontece. Sempre que você pensa sobre essa pessoa em termos de talvez passar o seu futuro com ela, você tem de examinar com uma lente todas as coisinhas dela.

O homem vai pensar: "Acho que as sobrancelhas dela não são iguais. Incrível. As sobrancelhas dela são *desiguais*. Eu vou agüentar ficar olhando para sobrancelhas desiguais o resto da minha vida?" E a mulher, é claro, vai estar pensando: "O que é que ele tanto olha? Eu vou querer alguém olhando para mim assim o resto da minha vida?"

As mulheres, naturalmente, têm poderes muito acima dos homens mortais.

Uma mulher deixou um recado na minha secretária eletrônica, outro dia, com uma voz sussurrada. Não importa o que a mulher diz, se é naquela voz sussurrada, é sempre muito atraente. Uma aeromoça pode se debruçar para mim e sussurrar no meu ouvido: "Quer colocar o cinto? Vamos dar de cara numa montanha." E eu responderia: "É mesmo? E o que você vai fazer depois que sair da fuselagem destroçada? Que tal a gente comer uns amendoins sentados na caixa preta? Eu trago duas almofadas."

As mulheres precisam gostar do trabalho do cara com quem estão saindo. Se não gostam do trabalho, não gostam do cara. Os homens sabem disso — e é por isso que inventamos nomes falsos para os nossos empregos. "Bem, agora eu sou o supervisor administrativo regional. Trabalho com desenvolvimento, produção, consultoria..."

Os homens, por outro lado, se sentem atração física por uma mulher, não se preocupam tanto com o trabalho dela.

Simplesmente dizemos: "É mesmo? Matadouro? É ali que você trabalha? Parece interessante. O que é que você faz, pega um machado e corta fora a cabeça deles? Parece legal. Escuta, que tal você tomar um banho e a gente sair e pegar um filme?"

E por que é sempre jantar? Você palita os dentes, eu limpo o queixo, vamos descobrir o que é, afinal, que estamos fazendo aqui. Ele está pensando: "Cabelo legal." Ela está pensando: "Não acredito! O tamanho do pedaço de pão que ele pôs na boca!" Isso sempre acontece comigo. Por que será que quando eu pego o pão sempre me esqueço que estou num encontro? Tenho esse momentâneo lapso mental e penso que estou sozinho num quarto de hotel. E não há nada que se possa fazer depois que o pão está na boca. O negócio é engolir e torcer para ela gostar do seu carro.

Como seria o mundo se as pessoas dissessem tudo que pensam, o tempo todo? Quanto tempo duraria um encontro às cegas? Uns 13 segundos, imagino. "Ih, desculpe, sua bunda é grande demais." "Não tem problema, você tem mau hálito, de qualquer jeito. Até mais ver." "Valeu." "Tchau." "Obrigado, tchau."

O encontro, na época atual, é um grande aperfeiçoamento em relação às antigas civilizações. Nas antigas culturas tribais, eles sacrificariam uma virgem. É verdade. Eles achavam que iam conseguir alguma coisa dessa maneira. Pegavam uma garota que nunca tinha saído com ninguém e jogavam num vulcão. Esse é um primeiro encontro que ela nunca esqueceria. Ela ia acabar no céu, conversando com Elvis Presley: "E aí, Lisa, como acabou o encontro?" "Não muito bem, Elvis." "Bem, se você quiser ser jogada num vulcão de novo, podemos providenciar..."

É comum que os piores encontros sejam o resultado de armações. Por que nós armamos encontros para as pessoas? Porque achamos que elas vão gostar? Quem somos nós? Estamos brincando de Deus?

Aliás, Deus foi mesmo o primeiro a armar um encontro para outras. Armou para Adão e Eva. Estou certo de que ele disse para Adão: "Não, ela é legal, muito descontraída... usa pouca roupa. Estava saindo com uma cobra, mas acho que os dois romperam."

Para mim, a armação simplesmente não funciona. Não se pode armar para os outros. Não funciona porque ninguém gosta de pensar que precisa da ajuda de outros. Não se pode tirar isso da mente; isso afeta sua atitude quando você encontra a outra pessoa: "Bom, estou saindo com você porque todo mundo acha que eu devia sair com você."

Uma vez armaram um encontro para mim. Não deu certo. O tempo todo eu sentia aquelas cordinhas de marionete nos meus braços. Não conseguia me mexer direito. Eu ia botar a mão no ombro dela, a mão ia para o lugar errado... PAF! Um tapa na cara.

"Desculpe, não consigo controlar meus braços... a culpa não é minha, eu sou só uma marionete."

Você já pensou que o boneco do ventríloquo sempre parece ter uma vida sexual e social ativa? Está sempre falando de encontros e mulheres que ele conhece e como elas ficam naquela caixa com ele, de noite. Há sempre uma piadinha sacana, referências sexuais a respeito de ser feito de madeira e conseguir girar a cabeça daquele jeito... Querem que a gente engula isso, como se fosse de verdade. Acho que é porque a cara é tão animada que eles acham que a gente não vai notar que os pés estão pendurados ali. Pés de boneco nunca parecem de verdade, não é? Uns sapatos de plástico, balançando... Sempre meio tortos. Você vê aquilo e pensa: acho que estão querendo me enganar.

Eu sempre quis convidar uma mulher para tomar uma última bebida, saideira para dormir, no meu apartamento e depois lhe dar um copo com um sonífero. "Pronto, bebe. Se na semana que vem você quiser sair de novo comigo, eu te dou um pijama."

Agora, se você passar a noite na casa de alguém... o que acontece, pode acontecer. Já aconteceu com uma porção de gente... Aí você pensa: "Não tem problema, não vai dar nada de errado." Mas, no dia seguinte, o seu cabelo reflete bem o que você está sentindo. Seu cabelo tem a tendência de ficar desvairado quando acorda na casa de outra pessoa. Você vai ao banheiro e ele parece que fica assim: "Essa não é a nossa pia, esse não é o nosso pente, esse não é o nosso espelho... AAAA-AAAIIIIII!"

Você tem que se esforçar para não deixar ele entrar em pânico. "Calma, calma, já já vamos estar em casa!"

O que você pode fazer ao acabar um encontro, se sabe que nunca mais vai querer ver aquela pessoa, em toda a sua vida? O que você diz? Não importa o que for, é mentira. "A gente se vê por aí." Por aí? Onde é que fica isso? "Se você estiver por aí e eu estiver por aí, então a gente vai se ver. Você vai estar por aí em algum lugar e eu vou estar por aí em outro lugar, não vai ser o mesmo por aí."

"Cuide-se." Você já disse isso para alguém? "Cuide-se. Cuide-se direito, porque eu não vou cuidar de você. Então você é que vai ter que cuidar de você mesmo."

"Cuide-se, cuide-se." O que isso significa, "cuide-se"?

"Cai fora." Não é isso que você quer dizer? "Cai fora. Se manda."

SEXO

O problema com educação sexual é que todo mundo tem seu cronograma sexual próprio, a respeito do que deve acontecer e quando. A outra pessoa, é claro, não sabe nada sobre isso, e ninguém vai dizer. Todo mundo é assim, fica com aquela cara de jogador de pôquer.

Por isso, eu acho que precisamos de algum manual de sexo, escrito, com o qual todos concordem, um protocolo sobre padrões sexuais. Se houver algum problema, é só consultar o manual: "Olha, querida, sinto muito, mas já saímos três vezes e, de acordo com o Artigo 7, Seção 5, tem de haver algum contato físico, diz aqui. Senão, eu vou comunicar à diretoria e eles vão emitir um mandado obrigando a um abraço."

E a mulher pode dizer: "Para começar, se você acha que ficar meia hora comigo no intervalo para o almoço, para tomar um iogurte, vale um encontro na tabela daquela diretoria, pode esquecer. Para não falar que você me chamou de 'querida' antes de acabar o período de aproximação de três semanas. Isso é contravenção."

Acho que o conflito básico entre homens e mulheres, sexualmente, é que os homens são como bombeiros. Para nós, sexo é uma emergência, e não importa o que estejamos fazendo, ficamos prontos em dois minutos. Já as mulheres são como o fogo. São muito excitantes, mas só acontecem quando as condições estão certas.

Homens e mulheres, de modo geral, se comportam como nossos elementos sexuais básicos. Se você observa homens solteiros numa noite de fim de semana, eles agem como espermatozóides: desorganizados, esbarrando nos amigos, nadando na direção errada.

"Cheguei primeiro."

"Deixa eu passar."

"Você está pisando no meu rabo."

"Isso aí é meu."

Somos Três Bilhões de Patetas.

Mas o óvulo é tranqüilão: "Então, quem vai ser? Eu posso me dividir. Posso esperar um mês. Não estou nadando para parte alguma."

E isso nos leva à questão da camisinha. Não há nada de errado com a camisinha, em si. O problema é comprar a camisinha. Acho que a gente deveria ter uma espécie de sinal secreto para o vendedor da farmácia. Você entra na farmácia, vai até o balcão, o vendedor olha para você e você faz um movimento com a cabeça, ele põe a camisinha numa sacolinha, pronto.

Você aparece ali, põe o creme de barbear e a pasta de dentes no balcão.

"Tudo bem?" (Você faz que sim com a cabeça.)
"Tudo bem. E você?" (Ele põe a camisinha ali.)
"Tudo jóia."
E você conseguiu as camisinhas.

A nudez é coisa séria para os homens. Vivemos para isso. Seja o que for que você não quer nos mostrar, é isso que queremos ver. Se as mulheres sempre usassem chapéus em público, o tempo todo, você ia ver homens comprando a revista *Playcabeça*: "Os dez crânios mais sensuais do ano". Seria o nosso único interesse.

Dá o que pensar essas culturas que a gente vê na *National Geographic*, onde todo mundo vive nu. Você vê aquela gente toda e pensa: "O que é que esses homens olham quando as mulheres passam?" Pode haver um *strip club* num lugar assim? A mulher sobe ao palco, tira o colar, tira o anel do nariz... é isso, acabou o *show*. Na platéia, os homens estão comentando: "Cara, viu aquela marquinha em cima do lábio dela? Eu não te falei? Esse lugar é demais!"

É por isso que a moda funciona para os homens. Todo ano as mulheres cobrem uma coisa, mostram outra. Isso deixa a gente maluco. A gente nunca percebe que elas estão, alternadamente, mostrando e escondendo exatamente as mesmas coisas há séculos.

Toda vez que uma mulher veste uma roupa nova, ficamos desorientados de novo. "Acho que os peitos estão ali."

"Ali? Não, acho que estão ali."

E essa história de falar durante o sexo? O problema é: falar melhora realmente o sexo, ou o ato sexual está lá apenas para servir de tempero para a conversa?

É claro que, algum dia, as pessoas vão acabar ficando cansadas demais ou preguiçosas demais até para sexo por telefone. Vão ter secretárias eletrônicas para sexo. Vão estar de saco cheio: "É, eu estou cheio de tesão por você. Por favor, deixe seu reca do."

Depois, acho, a companhia telefônica vai inventar espera de sexo. Vai ser a novidade. "Olha, espera aí, querida, a outra linha está chamando... Alô? Olá, baby. Só um segundo... Olha, querida, tenho de atender a outra linha... é, sexo na espera na outra linha, tenho de atender."

O RELACIONAMENTO

Sabe, todo homem e toda mulher têm um manual do proprietário. Não está escrito em lugar nenhum, mas mesmo assim, as instruções de funcionamento de um indivíduo num relacionamento são detalhadas e específicas. Assim, quando você começa a sair com alguém, é a mesma coisa que dirigir um carro novo pela primeira vez na sua vida, sem nada escrito nos controles. De repente, o limpador de pára-brisa começa a funcionar, o carro morre... E o pior é que às vezes encontramos gente sem direção hidráulica, sem freios, precisando de amortecedor novo, com os faróis tortos, a mala cheia demais, o capô não fecha direito, sem gasolina. É por isso que as pessoas, quando se casam, escolhem o transporte mais simples. É fácil, confiável e te leva para onde você quer ir. Isso é que é importante numa viagem longa.

Qual é o problema? Por que se comprometer é um problema tão grande para o homem? Acho que, por algum motivo, quando um homem está viajando na auto-estrada do amor, a mulher com quem ele está envolvido é como uma saída, mas ele não que ir para lá. Ele quer continuar na estrada. Já a mulher é assim: "Olha, gasolina, comida, alojamentos, esta é a nossa saída, tem tudo que você precisa para ser feliz... Saia já, agora!" Mas o homem está concentrado no sinal mais embaixo que diz: "Próxima saída, 45 quilômetros", e pensa: "Dá para ir até lá." Às vezes dá, às vezes não dá. Às vezes, o carro acaba no acostamento, com o capô levantado e fumaça saindo do motor. E ele, sentado no meio-fio, sozinho: "Acho que era mais longe do que eu pensei."

Para mim, a melhor parte de um relacionamento é quando você fica doente. E a melhor hora para se ficar doente é num relacionamento.

Se eu tiver de me casar — você conhece aquele juramento, "na riqueza e na pobreza, na saúde e na doença..." Eu só quero a parte da doença. "Você aceita este homem na doença?" O resto do tempo você pode sair, ir a uma festa, fazer o que quiser — mas, se eu começar a fungar, é melhor você estar lá.

Não me entenda mal, a cerimônia de casamento é uma coisa linda. O juramento, as roupas. Acho que a idéia daquele terno alinhado é o ponto de vista da mulher, de que "os homens são todos iguais, por que não vesti-los assim?"

Por isso é que, para mim, um casamento é a união de uma noiva linda, exuberante, e um cara lá. O terno é um dispositivo de segurança, criado pelas mulheres, porque elas sabem que não dá para confiar num homem. Portanto, caso o noivo caia fora, basta pegar um outro cara qualquer e pronto.

É por isso que o juramento não é "Você aceita Valdemar de Oliveira..." e sim "Você aceita este homem..."

Tenho um amigo que vai se casar. A despedida de solteiro e o chá de panela vão ser no mesmo dia. É possível que, enquanto as amigas da noiva estão dando a ela uma *lingerie sexy*, o noivo esteja num *show* de *strip-tease* vendo uma mulher vestindo exatamente a mesma *lingerie*. Acho que para os dois vai ser um momento muito especial.

Para mim, a diferença entre ser solteiro e casado é a forma de governo. Quando você é solteiro, você é o ditador de sua própria vida. Você tem poder total. Quando eu dou a ordem para pegar no sono no sofá com a TV ligada, no meio da tarde, ninguém vai me desobedecer! Quando você é casado, você faz parte de um grande órgão tomador de decisões. Antes de fazer qualquer coisa é preciso haver reuniões, a situação tem de ser estudada por comitês.

E é por isso que os casamentos funcionam. Acho que é por isso que os divórcios são tão dolorosos. Você recebeu o *impeachment* e nem era o presidente.

O FIM

Não há maneira fácil de acabar um relacionamento.

É como a mussarela numa boa fatia de pizza. Por mais que você puxe a fatia para longe da sua boca, ela vai ficando mais fina e mais comprida, mas nunca arrebenta. É claro que você pode comer a pizza com faca e garfo, mas só estou fazendo uma analogia.

Uma forma de acabar um relacionamento é o adultério. Adultério é uma coisa braba. Não se faz simplesmente um adultério, *comete-se* um adultério. E você só comete quando se compromete. Então precisa haver o compromisso primeiro, aí você comete, te pegam, você se divorcia, sua mente fica comprometida e você é internado.

Engraçado é que algumas pessoas traem as pessoas com que estão traindo. É como assaltar um banco, apontar a arma para o seu capanga e dizer: "Agora você também, passa para cá tudo que você tem aí."

Acho que mesmo quando você tem um relacionamento com alguém — ou melhor, *especialmente* quando você tem um relacionamento com alguém — e tenta fazer com que vocês sejam amigos depois, é muito difícil.

Porque vocês dois se conhecem bem demais. Vocês conhecem todos os truques, um do outro. É como dois mágicos tentando dar um *show* um para o outro.

Um diz: "Olha, um coelho."

E o outro diz: "É mesmo? Olha, acho que foi essa a carta que você escolheu."

"Escuta, por que a gente não serra ao meio um ao outro e, depois, damos a noite por encerrada?"

Acho que quando você começa a sair com alguém, você devia ganhar um cartão escrito: "Saída Gratuita do Relacionamento". Aí você poderia simplesmente chegar para a outra pessoa e dizer: "Bom, está na hora de você cair fora. Sinto muito. Eu pego minha raquete de tênis, não precisa se levantar. Tchau, felicidades. Desculpe."

Seria ótimo. A não ser que a outra pessoa tenha um cartão que diz: "Mais Oito Meses de Culpa, Tortura e Dor".

"Espera um pouco, tenho uma coisinha para lhe mostrar..."

MANUTENÇÃO PESSOAL

Vamos encarar a realidade: o corpo humano é como um condomínio de apartamentos. O que impede que você realmente desfrute dele é a manutenção. Há um monte de trabalho diário, semanal, mensal e anual que tem de ser feito. Desde tomar banho até botar ponte de safena, estamos sempre fazendo alguma coisa conosco.

Se seu corpo fosse um carro usado, você não compraria. "Não, já ouvi falar desses corpos de seres humanos. É um desses modelos da Terra, né? Sei, um primo meu tinha. Dá trabalho demais. Se bem que esses novos tem uma cara boa."

CONSERVAÇÃO

As mulheres, sem dúvida, chegam a extremos no seu trabalho de manutenção. É impressionante como elas cuidam de todos os pêlos em seus corpos. Para mim, um dos grandes mistérios é como uma mulher é capaz de derramar cera quente nas pernas, arrancar os pêlos pelas raízes e ter medo de uma aranha.

Às vezes, elas vão ainda mais longe — eletrólise. É como botar seu cabelo na cadeira elétrica. É a pena de morte para o cabelo. Você bota o cabelo numa cadeirinha, põe aquele capacetezinho de metal, dá a ele o seu último xampu a quantidade de creme rinse que ele quiser. A única coisa que pode salvá-lo é um telefonema da cabeleireira.

Para os homens, o tratamento capilar preferido é o transplante. É um processo interessante e mesmo impressionante. O cabelo que estava no seu sabonete ontem, pode estar na sua cabeça amanhã.

Como foi o primeiro transplante? Fizeram o cara tomar um banho, pegaram o sabonete dele, levaram ele correndo para o hospital de helicóptero, mantiveram o sabonete vivo numa câmara de oxigênio de sabonetes? No fim, eles desistem. "Salvamos o cabelo, mas... acho que perdemos o Zeca."

Às vezes, o corpo rejeita um transplante de um órgão vital. Será que uma cabeça pode rejeitar um transplante de cabelo? O cara está ali, tranqüilo, e de repente... bum — o cabelo vai cair no iogurte de outro.

Hoje, estão disponíveis muitos procedimentos de cirurgia cosmética. Lipoaspiração, por exemplo. Conhece isso? É uma máquina que chupa a gordura. A essa altura, alguém, em algum lugar, está inventando um jeito de tornar isso disponível num restaurante. Basta olhar o cardápio e pedir.

"Olha, traz o *cheesecake*, me diminui até o tamanho 42 e, depois, põe uma bola de sorvete de creme em cima."

Um dos procedimentos mais populares é consertar o nariz. O termo técnico é rinoplastia. Rino? Puxa, a gente precisa insultar a pessoa naquele momento tão especial para ela? Ela sabe que tem o nariz grande, é por isso que ela veio aqui. Numa hora dessas, ela precisa ser comparada a um rinoceronte?

Quando alguém vem fazer um transplante de cabelo, ele não diz: "Vamos realizar uma bola-de-bilhar-tomia no senhor. Tentaremos remover o carecômetro de seu moscoaeroporto... estou usando os termos técnicos, é claro."

Embora eu não tenha feito nenhuma operação cosmética — dente arrancado vale? E fazer a barba? É cosmético, tem sangue... — eu costumo fazer *checkup*. Dar a eles aquela amostra de urina, é sempre um prazer, não é? Há sempre a questão da quantidade. "Não sei de quanto vocês precisam. Quer dizer, estou dando a vocês tudo que eu tinha. Mas posso fazer mais. Se precisarem, é só falar. Posso demorar um pouco, mas tenho certeza que consigo."

Em qualquer espécie de teste físico, não sei por que, sempre fico competitivo. Lembra quando você estava na escola e fizeram aqueles testes de audição? E você fazia a maior força para ouvir?

Eu queria fazer coisas inacreditáveis no teste de audição. Eu queria que eles me dissessem: "Achamos que você tem uma espécie de superaudição. O que você ouviu foi uma bola de algodão encostando num pedaço de feltro. Vamos mandar os resultados para Washington, gostaríamos que você conversasse com o presidente."

Todos nós nos julgamos peritos em nossos corpos. Outro dia, eu estava na farmácia, comprando um remédio para resfriado. Já tentou escolher um desses? Não é fácil. Há uma parede inteira cheia de produtos de que você precisa. Você fica ali olhando e pensando: "Bem, esse aqui é de ação rápida, mas esse aqui é de ação duradoura... O que é mais importante, o presente ou o futuro?

Eu li, recentemente, que o vinho pode melhorar sua saúde ao reduzir o risco de ataques do coração, endurecimento das artérias e colesterol. É uma boa notícia, a não ser que você seja um 'bebum': "Oba, estou ficando melhor. Só preciso ficar mais uns sete anos dormindo na calçada, enrolado nesse pano velho."

A ciência médica está fazendo progressos diários no controle dos problemas de saúde. Na verdade, é só questão de tempo até que um ataque do coração vire uma coisa como dor de cabeça. Um dia, vamos ver gente na TV dizendo: "Tive um ataque do coração dos grandes, mas botei um desses..." Ele põe o aparelho elétrico no peito.

"Já!"

Buuuuum!

"... e passou."

Fumar é, certamente, uma das mais antigas e estúpidas idiossincrasias humanas. Por que será que alguém achou que um camelo é uma boa imagem de produto para um cigarro? Acho que cada um é o equivalente em alcatrão a fumar um camelo de verdade.

Adoro a campanha publicitária que fizeram há uns anos, no aniversário da empresa: "75 anos e ainda fumando".

Bem, nem todo mundo. Acho que pode haver algumas cadeiras vazias naquela festa de aniversário.

Talvez a atração seja o fogo. Há alguma coisa de assustador e excitante no fogo. As pessoas sempre correm para ver um incêndio. Têm muito orgulho de sua lareira. Fumar é isso: o poder de dizer: "Eu tenho fogo aqui na minha mão. Fogo e fumaça saem da minha boca." O que é muito assustador para o não-fumante, porque é como conversar com alguém que diz: "Minha cabeça pode se abrir ao meio, pode despejar lava, escorrer pela minha cara, não dou a mínima." E um charuto é ainda pior. Um charuto é assim: "Você acha que essa ponta dá medo? Olha para essa outra ponta, molhada, nojenta, toda mastigada!"

Todo mundo quer ser sadio. O engraçado é que ninguém sabe como.

Adoro fazer exercício, mas não posso deixar de rir disso. Você vai à academia, vê aquela gente toda se exercitando, entrando em forma. Mas ninguém vai ficar em forma para fazer alguma coisa. Na sociedade moderna, você não precisa ser fisicamente forte para fazer coisa nenhuma. O único motivo para eles ficarem em forma é conseguir fazer todo aquele exercício. Então a gente malha para ficar em forma para quando for a hora de malhar. Isso é comédia.

Uma vez experimentei um desses tanques de relaxamento. É aquele tanque grande onde tem uns 250 quilos de sal dissolvido, de modo que você flutua.

Descobri que a melhor coisa para fazer com esses tanques é entrar ali com uma porção de cortes e arranhões na pele. Na hora que te deixarem sair, você vai ter tomado a forma do interior daquele *container*. Então, você não vai precisar de um tanque de relaxamento porque você vai ser um tanque de relaxamento.

Outra coisa que eu não entendo a respeito de malhar é por que somos tão cuidadosos ao guardar nossas toalhas sujas, *shorts* imundos e tênis fedorentos. Qual será o valor de mercado dessas mercadorias repelentes?

Entrego o meu carro a qualquer cara em frente a um restaurante porque ele tem um paletó vermelho — "Deve ser o manobrista." Nem penso duas vezes. Mas para aquelas roupas hediondas, putrefatas da academia, arranjo um desses cadeados que pode levar um tiro e não abre. Aquela coisa está segura.

Estou pensando de novo naquele resto de sabonete no chuveiro. Logo vou ter de tomar uma decisão. Jogar fora ou juntar com o próximo sabonete. Se você faz isso com todo sabonete, quanto sabonete vai ter economizado no fim da sua vida? Será que um dia você olha em volta e descobre que está centenas de sabonetes à frente de todo mundo? Você dá festas de sabonete. Distribui sabonetes pelo escritório.

"Oi, Zé. Feliz quarta-feira."

"Puxa, obrigado. Onde é que você arranja tanto?"

"Tenho meus métodos."

"Puxa, esse cara tem um monte de sabonete."

"Grande sujeito."

Alguém, por favor, pode me dizer por que temos de aturar o cecê? Para que precisamos do cecê? Tudo na natureza tem uma função, um propósito, menos o cecê.

Não faz sentido. Faça alguma coisa boa — trabalho duro, exercício — e você cheira mal. É assim que funciona o ser humano. Você se mexe, você fede.

Por que nossos corpos não nos ajudam? Por que o suor não pode cheirar bem? Seria um mundo diferente, não é? Em vez de pôr a roupa suja numa cesta fechada, você a poria num vaso. Iria até a farmácia comprar odorante. Teria uma meia suja pendurada no espelhinho do carro.

E numa noite realmente especial, você poderia deixar aparecer um pedacinho de uma cueca do bolso do casaco, só para mostrar como ela é importante para você.

ROUPAS

Acho que um dia ganhei o prêmio de homem mais bem vestido do ano. Mas não lembro que ano foi e não lembro o que eu estava vestindo. Quer saber a verdade? (não acredito que a gente tenha de perguntar uma coisa dessas) Odeio roupas. Odeio, acredita?

Odeio ter que escolher, experimentar, conversar com o vendedor. Detesto carregar sacolas de *shopping*. Detesto recibos. Detesto etiquetas, cabides, botões, zíperes, lapelas. Detesto detergentes líquidos, sabão em pó, sabão em barra, limpa-manchas, cristais especiais, ingredientes ativos, enzimas. Detesto água quente, água fria, água morna. Detesto R$1 de desconto. Detesto mais 50% grátis. Detesto amaciantes de roupas. Detesto detergentes que são bons para o meio ambiente, detergentes nocivos ao meio ambiente, detergentes que não estão nem aí para o meio ambiente. Detesto carregar trouxas de roupa para a lavanderia, falar sobre manchas com o empregado da lavanderia. Detesto e me recuso a ler qualquer cartaz sobre qualquer coisa na parede da lavanderia. Se estiver escrito: "Reservamo-nos o direito de roubar suas roupas", eu não dou a mínima. Não estou interessado. Pode levar as roupas. Só quero sair daqui logo e voltar para o mundo.

Vamos deixar claro uma coisa sobre lavagem a seco. Não existe. Não existe isso de lavar a seco. Não há como lavar a seco, limpar a seco ou fazer qualquer coisa a seco. Seco não existe. Não tem nada ali. Não se pode usar, não se pode fazer nada com isso. Não está ali. Seco é nada. A gente entra nessas lavanderias que têm um cartaz dizendo: "Lavagem a Seco", e acha natural que eles tenham feito a gente engolir esse conceito absurdo.

Se eu te desse uma camisa suja e dissesse: "Quero isso imaculado. E nada de líquidos!", o que você faria? Sacudiria a camisa? Daria uns tapinhas nela? Pelo amor de Deus. Você mal consegue sujar alguma coisa a seco, imagine lavar. Sabe o que eu acho que é lavagem a seco? Eles pegam a roupa suja e botam naquele saco plástico no cabide. Isso é que é lavagem a seco.

Eu já tive um casaco de couro que se estragou na chuva. Mas como é que a água pode estragar o couro? As vacas não ficam lá fora quase o tempo todo?

Será que quando está chovendo as vacas correm para a casa da fazenda: "Deixa a gente entrar! Estamos todas usando couro! Abra a porta! Vamos estragar nossa roupa!"

"É couro?"

"Eu *sou* couro! Tudo isso é couro! Não posso botar para lavar, é tudo que eu tenho!"

Eu fico tão cansado em ter de escolher roupa todo dia. Acho que muita gente vai concordar comigo: um dia não vai mais haver moda. Acho que, um dia, todos nós vamos vestir a mesma coisa. Porque toda vez que eu vejo um filme ou um programa na televisão onde há gente do futuro ou de outro planeta, eles estão todos usando a mesma roupa. Um dia eles decidiram: "Ora, chega disso. Daqui em diante, isso aqui é que vai ser nossa roupa. Um macacão prateado, com um decote em V, e botas. É isso aí. Vamos começar a visitar outros planetas e queremos parecer uma equipe."

O terno é a roupa de negócios universal para os homens. Não há nada que os homens gostem mais de usar quando estão tratando de negócios. Não sei por que, projeta uma imagem de poder. Por que será que o terno é intimidador?

"É melhor fazer o que esse cara está dizendo, as calças dele combinam com o paletó."

Os homens gostam tanto do terno que até nossos pijamas parecem um terninho. Tem lapelas, um bolsinho postiço... você precisa de um bolsinho ali? Se você botar uma caneta naquele bolsinho, você vai rolar no meio da noite e se matar.

E por que vem aquele saquinho plástico com uns botõezinhos extras quando a gente compra um terno? Que tipo de psicopata guardaria esses botõezinhos, milhares deles, num gaveta enorme, para estar sempre preparado? "Onde está meu botãozinho?"

Será tão difícil assim arranjar botões iguais aos do terno? "Você nunca vai encontrar botões como estes, por isso vamos te poupar o trabalho de ficar desesperado procurando. Porque sabemos que eles vão cair." É isto que eles estão querendo te dizer.

Mesmo quando você morre, eles te enterram vestido de terno. Todos os outros homens ali, olhando. "É uma pena que ele tenha morrido. Olha que terno bonito." A única coisa boa é que, quando é seu funeral, você consegue uns ajustes no mesmo dia, ninguém diz nada.

"Vai ficar pronto terça que vem."

"Ah não, tem que ser hoje, é o último dia dele. Acho que ele não vai ter outra chance de usar esse terno."

A prova que nós não entendemos o que é a morte é que nós damos aos mortos um travesseiro. Ora, se você não consegue descansar nesta hora, não há acessório nenhum que faça diferença. Mas o terno e o travesseiro mostram que a gente não sabe para quê essas pessoas estão preparadas. Quer dizer, de que maneira a situação vai mudar porque você está indo de terno e com um travesseiro? Não há reuniões para um cochilo de negócios.

Comprar roupas é complicado. Mas quando há música tocando alto, aí é que você fica perdido mesmo. Você olha para uma roupa e pensa: "Ei, se fosse uma festa legal e eu fosse um cara legal, essa camisa podia ser legal."

Você volta para casa, não há música, não há festa e você não é um cara legal.

Você é o mesmo otário, só que 75 dólares mais leve.

Já as mulheres têm uma abordagem diferente. Outro dia, eu estava olhando umas mulheres numa loja experimentando algumas roupas, e reparei que elas não vestem as roupas, elas vão para trás das roupas. Tiram um vestido do cabide e encostam o vestido nelas. Deduzem alguma coisa disso. Botam uma perna para a frente e se entortam para trás. Acho que precisam saber: "Se um dia eu for perneta e toda torta, o que eu vou vestir?"

Você nunca vê um homem fazer isso. Você nunca vê um cara tirar um terno do cabide, botar a cabeça por trás e dizer: "Que tal? Acho que vou comprar isso. Bote uns sapatos lá embaixo. E se eu estiver andando? Mexa esses sapatos."

Adoro ver mulheres botando perfume. Elas são muito cuidadosas. Tem pequenas áreas estratégicas. Sempre botam no pulso. Elas estão convencidas de que esta é a área de mais ação do corpo. Por quê? É em caso de darem um tapa no cara?

PLAF!

Ele se vira. "Hum... Chanel."

Qual é a idéia por trás destas fragrâncias? Será que nós pensamos que as pessoas vão achar que nós temos mesmo esse cheiro?

Um dia, me deram um desses conjuntos de presente. Tem colônia, loção pós-barba, sabonetinhos presos numa cordinha. Eu preciso muito de sabonetinhos numa cordinha. Toda hora eu vou tomar banho e quero me enforcar.

Veio até aquele desodorante com cheiro de água de colônia. Para que cheiro de colônia no sovaco? Quando a mulher estiver com o nariz no seu sovaco, é porque o processo de sedução já acabou há muito tempo. Será que nós somos feito cachorros, cada um tendo de cheirar cada centímetro quadrado do outro antes de tomar uma decisão?

Até os cachorros, de vez em quando, passam um pelo outro sem dar muita bola.

O que eu acho maravilhoso a respeito de homens e mulheres é como nós temos interesse por essas pessoas com quem não temos nada em comum. Os homens estão obcecados com decotes, as mulheres com sapatos. É sempre a mesma obsessão. Não interessa quantas vezes tenhamos visto essas coisas, toda vez que elas aparecem, temos de olhar. Não podemos não olhar.

Para os homens, um decote é a coisa mais parecida com um OVNI pousando ali perto. Para uma mulher, comprar um par de sapatos de que ela gostou é como entrar na nave alienígena. Acho bem possível que extraterrestres tenham pousado e nós não tenhamos reparado porque estamos tão preocupados com decotes e sapatos.

Por que é tão difícil e desconfortável ficar nu? Porque, quando você está vestido, sempre pode fazer aqueles ajustezinhos que as pessoas adoram. Mexendo aqui e ali, puxando, acertando... A gente se sente bem. Mas quando você está nu, acabou, é só isso. Não há nada que se possa fazer.

Por isso, eu gosto de usar um cinto quando estou nu. Sinto que ele me dá alguma coisa. Eu gostaria de ter bolsos para enfiar a ponta do cinto. Não seria o máximo? Imagine, estar nu e ainda poder botar as mãos nos bolsos. Acho que ajudaria muito.

AMIGOLÂNDIA

Os amigos são o DNA da sociedade. São os elementos básicos da vida. Se você tem uns dois, cuide deles como se fossem ouro. Não há nada de melhor. Já viu esses anúncios da MCI que dizem: "Amigos e Família"? Quem eles mencionam primeiro? Seus amigos o ajudam a carregar o fardo da vida. Aquele grande fardo chamado: "Que diabo eu estou fazendo aqui?"

O CÓDIGO MASCULINO

Todos os programas entre homens são provisórios.

Se um homem, de repente, tem a oportunidade de perseguir uma mulher, aqueles dois caras se comportam como se nunca se tivessem encontrado na vida. Este é o código masculino.

E não vem ao caso quão importantes sejam os planos. A maioria das vezes que eles desistem de uma missão do ônibus espacial é porque um dos astronautas teve um encontro com alguém. Ele se encosta contra o foguete e diz para ela: "Ei, que tal a gente tomar uma coca quando eu voltar?"

Um homem fica mentalmente paralisado quando vê uma mulher bonita, e as agências de propaganda se aproveitam disso. Você não adora aqueles anúncios onde se vê a mulher de biquíni junto do conjunto de ferramentas com 32 peças? E a gente olha aquela garota de biquíni, depois olha para a caixa de ferramentas e pensa: "É... se ela está junto da caixa de ferramentas, e se *eu* tivesse aquela caixa de ferramentas... Será que...? É, acho melhor comprar essa caixa."

Eu não sou *gay*. Mas sou magro, solteiro e arrumadinho. Às vezes, quando um cara é magro, solteiro e arrumadinho, as pessoas acham que ele é *gay*, porque esse é o estereótipo. Você, normalmente, não pensa em gente *gay* como gordos, bagunçados e casados. Embora, eu esteja certo de que alguns são assim — não quero perpetuar um estereótipo — esses são, provavelmente, minoria na comunidade *gay*. Provavelmente, sofrem discriminação por causa disso. As pessoas dizem para eles: "Sabe, Zé, eu gosto de ser *gay* com você, mas acho que está na hora de você perder peso, enfiar a camisa nas calças e perder a esposa."

Mas, se as pessoas vão supor que gente arrumada e limpa é *gay*, talvez em vez de dar aquela desmunhecada e dizer: "Sabe, acho que o Zé pode ser... sabe...", deveriam imitar um aspirador de pó. "Sabe, acho que o Zé é um pouco... vrrrummm."

"É, eu sempre desconfiei que ele era um pouco vrrrummm..."

O que causa a homofobia? O que é que faz o homem heterossexual se preocupar com isso? Acho que é porque, lá no fundo, todos os homens sabem que não resistem bem a um vendedor. Estamos toda hora comprando sapatos que apertam os pés, calças que não se ajustam direito. Os homens pensam: "Obviamente, podem me convencer de qualquer coisa. E se eu, acidentalmente, entrar em algum tipo de loja de homossexuais, pensando que é uma sapataria, e o vendedor disser: "Por favor, segure a mão desse cavalheiro, dê uma volta por aí, veja como se sente. Sem obrigação nenhuma, sem pressão nenhuma, só experimente."

ENTENDER A MENSAGEM

Cheguei à conclusão de que há certos amigos na sua vida que são só amigos, e você tem de aceitar isso. Você os vê mesmo quando não quer ver. Você não os chama, eles o chamam. Você não retorna o telefonema, eles telefonam de novo. Você se atrasa, eles esperam. Você não aparece, eles não se aborrecem. Você dá uma facada neles, eles compreendem.

A única maneira de se livrar de gente com quem você não tem nada em comum, é fingir que você está fazendo seu próprio *talk show*. É o que eu faço. Finjo que há uma mesinha ali, uma cadeira, e estou fazendo uma entrevista. O único problema é que não há maneira de você dizer: "Olha, foi ótimo ter você no *show*, mas acho que nosso tempo acabou."

O problema de falar é que ninguém impede que você diga a coisa errada. Acho que a vida seria bem melhor se fosse sempre como um filme. Você ferra tudo, vem alguém, manda cortar e pára a cena toda.

Pense nas coisas que você gostaria de não ter dito. Você está conversando com algumas pessoas: "Ei, você está grávida?" "Corta, corta, corta, assim não dá. Sai de novo, entra outra vez e vamos fazer a cena toda novamente. Cara, pense antes de falar."

Já aconteceu de você telefonar para alguém e ficar desapontado quando ele atende ao telefone? Você queria a secretária eletrônica. E você fica sempre meio decepcionado. "Oi, é, hum, eu não sabia que você estava. Eu só queria deixar um recado dizendo, 'que pena que você não está'".

Por causa da secretária eletrônica, você pode ter duas pessoas que não querem falar uma com a outra, e a secretária é como uma câmara de oxigênio de relacionamentos, mantendo vivos esses relacionamentos que já tiveram morte cerebral. Por que nós fazemos isso? Porque quando chegamos em casa, queremos ver aquela luzinha vermelha piscando e pensar: "Ótimo, mensagens." As pessoas precisam disso. É muito importante para os seres humanos sentirem-se populares e queridos por um grande grupo de pessoas pelas quais eles não têm o menor interesse.

Adoro minha secretária eletrônica. Eu gostaria de ser uma secretária eletrônica. Gostaria de poder dizer, ao ver alguém na rua: "Desculpe, eu não estou aqui no momento, se quiser deixe uma mensagem."

Eu também tenho um telefone sem fio, mas não gosto muito dele. Porque você não pode bater um telefone sem fio. "Você não pode falar assim comigo!" BAM, acabou. Mas um telefone sem fio — "Você não pode falar assim comigo! Agora deixa eu achar o botãozinho que desliga esse negócio... espera um pouco, pronto, estou batendo o telefone na sua cara."

Para mim, não há nada como a secretária eletrônica, em matéria de avanço tecnológico. Para começar, pense quanto tempo durou até que fizessem secretárias que funcionassem de verdade.

Já levou seu rádio-despertador para ser consertado? Nunca. Eles sempre funcionam perfeitamente. Por alguma razão obscura, secretárias eletrônicas são como carros italianos antigos. Você tem de levá-los a umas obscuras oficinas nuns bairros estranhos. E quando elas quebram, as pessoas carregam elas nos braços como se fossem criancinhas doentes. Gritam para os mecânicos: "Como assim? Que história é essa de que não há nada que você possa fazer??"

É por isso que a secretária eletrônica é nosso produto tecnológico mais importante. Olhe como nós cuidamos dela. Com que outra máquina você tem um relacionamento tão íntimo? Quem chamou e quando, exatamente o que eles disseram, como era a voz deles... nem seu melhor amigo pode te dar esses detalhes todos. Só sua secretária eletrônica vive e morre com você, à medida que você faz soar novamente os triunfos e desapontamentos dos telefonemas do dia.

É como um pescador. Você entra e pergunta: "O que você pegou hoje? Tinha muito peixe?" Estou convencido de que alguém, em alguma parte, já devolveu uma secretária eletrônica porque ela não recebia bastante telefonemas.

Eu diria que o conceito por trás do telefone no carro, e da secretária eletrônica, e do viva-voz, e do telefone no avião, o telefone portátil, o telefone público, o telefone sem fio, a linha telefônica compartilhada, a discagem direta à distância e o redial é que nós todos não temos absolutamente nada a dizer e temos que falar sobre isso com alguém, agora mesmo. Não posso esperar nem mais um segundo!

Quer dizer, ora, se você está em casa está ao telefone, se está no carro, está telefonando, quando chega no trabalho, já vai dizendo: "Algum recado para mim?" Você devia dar às pessoas a chance de sentirem um pouquinho a sua falta.

O lado ruim dos recados é que geralmente eles significam que alguém quer alguma coisa de você. Há dois tipos de favor: o grande favor e o pequeno favor. Você pode medir o tamanho do favor pela pausa que a pessoa faz, depois que diz: "Você pode me fazer um favor?" Favor pequeno, pausa pequena. "Me faz um favor, passa aquele lápis." Esse nem tem pausa. Já os favores grandes... "Você pode me fazer um favor?" Oito segundos se passam e nada. "Posso, o quê?" "Bem..." Quanto mais tempo ele demora para dizer, mais vai doer.

Os seres humanos são a única espécie animal que faz favores. Os animais, não. Um lagarto não chega para uma barata e diz: "Pode me fazer o favor de ficar paradinha? Eu quero te comer viva." Isso, aliás, é favor grande, mesmo sem pausa.

É duro fazer uma boa ação. Pense naquela gente que faz boas ações profissionalmente, super-homens, *batmans*, todos os super-heróis. Todos eles usam disfarces, máscaras no rosto, identidades secretas. Não querem que as pessoas saibam quem eles são. Seriam problemas demais. "Super-Homem, obrigado por salvar minha vida, mas você tinha de passar pela parede? Isso aqui é alugado e eu tive de fazer um depósito na conta do senhorio, em caso de algum estrago no apartamento. Agora, o que é que eu faço?"

PRESENTES

Estou ficando um pouco cansado de fingir que fico todo alegre sempre que é aniversário de alguém. Quero dizer, afinal, a essa altura, o que tem de mais? Quantas vezes temos de festejar que alguém nasceu? Todo ano, todo mundo, de novo e de novo? Tudo que você fez foi evitar morrer durante 12 meses. Grande coisa.

Ninguém gosta que lhe cantem "Parabéns para Você". Ninguém gosta daqueles bolos com sorvete. Ninguém gosta de fingir que gostou do presente.

"Gostou mesmo?"

"Gostei sim."*

"Por que se não gostou, você pode trocar."*

"Não, não, gostei de verdade."*

"Só queria ter certeza."*

"Adorei."*

"Achei que você ia gostar."*

"Sabe, é perfeito."*

---

* Tudo mentira.

Há toda uma indústria de maus presentes. Todos esses presentes "executivos", aquelas coisas estúpidas de bronze e madeira, com uma almofadinha verde embaixo: "É um organizador de tacos de golfe e gravatas, papai."

Nada se compara com o peso para papel em matéria de mau presente. Para mim, não há maneira melhor do que um peso para papel para se dizer a alguém: "Recusei-me a fazer o menor esforço para comprar um presente." E onde é que essa gente está trabalhando que o vento leva todos os papéis das mesas deles? A escrivaninha está em cima de algum caminhão na auto-estrada ou coisa parecida? Eles estão datilografando alguma coisa naquela torre no mastro principal de um navio? Para que eles precisam de um peso para papel? De onde vem tanto vento?

Alguém me deu um rádio para o chuveiro. Muito obrigado. Será que eu quero mesmo música no chuveiro? Acho que não há melhor lugar para dançar do que um chuveiro com o chão escorregadio, junto de uma porta de vidro.

Também adoro aquele certificado de presente. É um verdadeiro tapa na cara, não é? Tem aquela moldurinha em volta, para parecer uma coisa oficial. É um "diploma de não-ligo-a-mínima-para você". É isso que é um certificado de presente.

A indicação mais clara da complexidade dos relacionamentos modernos são aqueles cartões sem nada escrito dentro. Nada, nenhuma mensagem. É como se os fabricantes de cartões dissessem: "Desistimos, você pensa em alguma coisa. Por 75 cents a gente não vai fazer esse esforço."

E aquela gente meio fora de foco num cartão? Sabe o que estou dizendo? Tem aquela gente fazendo um piquenique, junto de uma árvore, com um cavalo e um lago. Estão numa canoa, remando. Isso é o quê? É para lembrar de nós mesmos? Ou são gente com quem a gente gostaria de se parecer? Isso eu não entendo. E o que é que você vai escrever num cartão assim? "Olha aqui um casal que se entende melhor do que nós... Pelo menos esses parecem estar se dando bem."

Adoro aqueles cartões de astrologia, onde lhe contam tudo sobre gente que faz aniversário no mesmo dia que você. É sempre um pessoal meio esquisito. Não é? É como Muhammad Ali, Mahatma Gandhi e o juiz Nicolau dos Santos. "É, eu sempre senti que tinha algo em comum com eles."

Um amigo meu acabou de ter um filho. Eles pressionam demais para todo mundo ver o guri. Toda vez que falo com eles, dizem: "Você tem de ver o bebê. Quando é que você vem ver o bebê? Ver o bebê. Ver o bebê."

Ninguém jamais quer te visitar para ver seu avô. "Você precisa ver. É tão bonitinho! Tem 96 quilos. Adoro quando eles estão nessa idade. Ele tem cem meses. Oitenta e tantos é uma idade linda. Você precisa ver ele. Hoje, ele foi ao banheiro sozinho."

O que é chato sobre gente que tem um bebê é que você tenta ficar tão entusiasmado quanto eles. Eles estão sempre excitadíssimos: "O que você acha dele? O que você acha?"

Só uma vezinha eu gostaria de conhecer um casal que dissesse: "Sabe, não estamos muito felizes com ele, não. Francamente, acho que fizemos um erro. Deveríamos ter arrumado um aquário. Quer o bebê para você? Já estamos fartos."

Essas visitas para ver o bebê podem ser meio chatas. Você fica com uma vontade terrível de bocejar. Não que haja nada de errado com um bocejo. Detesto quando as pessoas tentam disfarçar um bocejo. Para começar, todo mundo sabe que você está bocejando. Os dentes trincados, as bochechas vibrando, a boca fechada a qualquer preço. É como olhar alguém ser eletrocutado. Eletrocutado. Essa é outra palavra meio estranha quando a gente examina de perto. Ele-trocu-tado. Ele troca o quê? "Quer trocar seu cabelo por esse chapeuzinho bonitinho de metal? É uma delícia, 500 mil volts." É como se alguém dissesse: "Não, nada de enforcar, o que nós vamos fazer é brincar de cordinha com seu pescoço."

CALE A BOCA E DIRIJA

Adoro viajar. Muito mais do que chegar a algum lugar. A chegada é uma coisa muito superestimada. Viajar é muito melhor. Aviões, navios, carros, trens, pés, qualquer coisa. Só quero sair do lugar. Acho que os destinos foram inventados para que a gente não ficasse andando em círculos, feito baratas tontas. Meu meio de transporte favorito é o carro. Eu sou uma dessas pessoas que adoram carros. É o objeto físico mais legal que eu já vi. Não sei por quê. Minha teoria é que, quando você está dirigindo, você está fora e dentro, se movendo e completamente parado, tudo ao mesmo tempo. Que coisa.

NA PISTA

Nos estacionamentos, eles botaram agora esses lugares: "Somente carros compactos". Isso não é discriminação de tamanho? Se eu quero ficar com a bunda do meu carro de fora no estacionamento, o problema é meu. Há gente ali com bundas de verdade, saindo das calças e ninguém reclama. Ninguém diz: "Desculpe, cavalheiro, esse jeans é compacto, o senhor não pode ficar aqui."

Já aconteceu de você estar andando pela rua e vem um carro te seguindo, porque eles acham que você está indo para o seu carro e querem a vaga? Não é esquisito quando um carro anda com a mesma velocidade que você? Você repara que quando você pára, ele pára; você vira, ele vira — é como um carrinho gigante de controle remoto. Você pode dar uma corrida de repente, para ver se ele dá de cara num muro. Você pode ficar fazendo ziguezague e o cara acaba perdendo a carteira por estar dirigindo bêbado. Seria divertido.

Tenho a impressão que o alarme de carro é projetado para que o carro se comporte como se fosse uma pessoa nervosa, histérica. Basta alguém chegar perto dele, perturbá-lo, e ele: "Uaaiaaiaaiaai!" Luzes piscando, um negócio de louco. Não é todo mundo que gosta tanto de chamar atenção. Não seria legal se você pudesse ter um alarme de carro mais sutil? Alguém tenta arrombar a porta e o alarme diz: "É, hum, com licença. Hum, senhor. Sim?" Gostaria de ter um alarme assim.

As pessoas são capazes de matar por uma vaga para estacionar em Nova Iorque, porque pensam: "Se eu não conseguir essa vaga agora, posso nunca conseguir uma. Vou ficar procurando durante meses, até que alguém vá para sua casa de campo." Porque todo mundo em Nova Iorque sabe que há mais carros do que vagas. Você vê carros rodando em Nova Iorque a qualquer hora da noite. É como aquela brincadeira das cadeiras, exceto que todo mundo já se sentou por volta de 1964.

O problema é que, enquanto as montadoras estão fabricando centenas de milhares de carros todo ano, não estão sendo criadas novas vagas. É nisso que eles deveriam estar trabalhando. Não seria ótimo? Você iria para a apresentação de novos modelos de carro e teria lá uma plataforma giratória enorme com nada em cima.

"Apresentando, da Chrysler, uma vaga."

A vaga para deficientes é a miragem no deserto do estacionamento. Você conhece esta sensação. Você vê a vaga de longe, lá está ela. É difícil de acreditar nos próprios olhos. "É bom demais para ser verdade. Uma vaga grande, larga, junto da entrada. Por algum motivo ninguém reparou nela." E quando você vai estacionando — epa, não tem vaga nenhuma. Nada. Foi como uma alucinação. "Ei, eu pensei que tinha uma vaga aqui... Não sei o que aconteceu..."

Como serão as vagas para deficientes na Para-Olimpíada? Eles devem ter que empilhar uns duzentos carros naquelas duas vagas. Como é que vão fazer?

Muitos estados têm curso de direção, para você poder manter sua carteira. Eu fui para o curso de direção, não me incomodei. Mas senti pena do instrutor. Aquele cara vai para o curso de direção todo dia, não importa como ele dirija. Que incentivo ele tem para não correr demais? Ele vai ter de ir para o curso de direção de qualquer jeito. Por que não arrumar um carro de corrida e sair por aí a 250 quilômetros por hora? O guarda manda ele parar:

"Onde você está indo?"

"Para o curso de direção."

"Está bem, vá em frente. E é melhor correr, você está precisando mesmo do curso."

Talvez a punição deveria ser, em vez de curso de direção ou suspensão da carteira, o tráfego mesmo. Eles te condenam a cem horas de tráfego. Arranjam umas cinco pessoas para ficar dirigindo em todos os lados à sua volta, a cinco quilômetros por hora. Por toda parte. Você está indo a Las Vegas, a estrada vazia, e eles à sua volta, devagarinho: "Pelo amor de Deus, não dá para ir um pouco mais depressa?"

Outro dia, eu passei por uma ambulância e reparei que eles escrevem a palavra ao contrário na frente. Que coisa inteligente! A gente olha no retrovisor e vê a palavra *ambulância*. É claro que, enquanto a gente lê, a gente não pode ver para onde está indo e bate num poste, e aí precisa mesmo de uma ambulância. Acho que eles estão só querendo arranjar alguns clientes enquanto voltam do almoço.

Sabe o que eu não entendo a respeito das limusines? Aqueles vidros escuros. É para as pessoas não te verem? Ah, sim, é a melhor maneira de fazer com que as pessoas não reparem em você: andar num Cadillac de dez metros de comprimento com antena de televisão e um motorista de uniforme. Muito discreto. Mas, de qualquer forma, ninguém está interessado em quem está viajando naquela limusine. Você vê uma limusine passando, já sabe que é algum rico bestalhão ou 50 garotos que acabaram a escola e juntaram dinheiro, um dólar e 75 cents cada. Muita gente gosta de usar aquela divisória de vidro, acham chique. Aí, você tem de falar com o motorista pelo telefone no vidro, de forma que você está numa sala de visitas de prisão móvel. Muito chique.

Viajar de limusine, lamento informar, não é tão legal assim. Dá a impressão de que você está em algum apartamento de um cara solteiro, em 1975. Todo aquele feltro marrom, umas duas garrafas de licor pela metade, três fitas cassete, aquelas manchas suspeitas... você pensa: "Umas 300 bundas devem ter se sentado aqui."

Pobre do cara que vende passagens no metrô. Sinto muita pena dele. Está numa jaula para tubarões, flutuando no metrô. Recebe um bolo de passagens, é fechado naquela câmara com vidro à prova de balas, parece o tanque em que o Houdini fazia a mágica do afogamento. Como é que se respira ali? Acho que se você tapar aquela aberturinha para as passagens com a mão, você sufoca o coitado em 30 segundos.

Peguei o metrô para ir a Coney Island, no Parque de Diversões. Fiquei ali, sentado no trem "D", aquele dos assaltos, de noite, durante uma hora e quinze minutos, para fazer um passeio assustador na montanha-russa. Tem coisa mais idiota do que isso? Sabe aquela hora que a montanha-russa faz uma volta no ar e a gente fica de cabeça para baixo? Peguei no sono. Foi a parte mais monótona do dia.

OLHA, ALI EM CIMA

Não tenho medo de avião, como acontece com tanta gente, o que, aliás, eu acho natural. Para mim, esse medo é muito racional, porque os seres humanos não sabem voar. Eles têm de ter medo de voar, com os peixes devem ter medo de dirigir um carro. Ponha um peixe no assento do motorista e ele, provavelmente, vai pensar: "Isso não está certo, eu não deveria estar aqui, esse não é o meu lugar."

Você acha que as pessoas que administram as lojas no aeroporto fazem idéia de quais sejam os preços em qualquer outra parte do mundo? Ou será que eles têm seu próprio país ali e por isso podem cobrar o que quiserem?

"Está com um pouco de fome? Quer um sanduíche de atum? São 28 dólares. Se não gostar, pode voltar para seu país."

Acho que todo esse complexo aeroporto/companhias aéreas é um golpe para vender os sanduíches de atum. Na minha opinião, o que sustenta toda a indústria de viagens aéreas é o lucro com o atum. Os aviões poderiam voar vazios, e mesmo assim, eles fariam dinheiro. Os terminais, os aviões, o estacionamento, as lojas de presentes, tudo isso é só para te distrair, para você não notar que estão te roubando no atum.

Acredito que o que nós temos de mais parecido com a realeza, na América, são aquelas pessoas que viajam naqueles carrinhos pelo aeroporto.

Você não detesta aquelas coisas? Aparecem, de repente: "Bip, bip, saiam da frente, gente de carrinho!" Todo mundo sai da frente, como camponeses desprezíveis. "Ooooh, é gente de carrinho. Espero que não tenhamos atrasado sua viagem. Dá tchau para a gente de carrinho, Zezinho. É a melhor gente do mundo." Se você é gordo demais, mole demais e desorientado demais para chegar ao portão a tempo, então você não deveria viajar de avião.

Outras pessoas que eu detesto, são aquelas que entram na escada rolante e ficam ali paradas. Como se estivessem no parque de diversões. "Dá licença, não tem gente vestida de pirata ou urso aí. As suas pernas funcionam?"

Outro dia, eu estava num avião e fiquei pensando: "Esse avião tem chave? Eles precisam de uma chave para dar a partida no motor?"

Talvez seja por isso que acontecem aqueles atrasos, quando você está ali, esperando a hora da decolagem. Talvez o piloto esteja na cabine dele dizendo: "Ih, não acredito... droga... perdi a chave de novo." Eles lhe dizem que é um problema mecânico porque não fica bem dizer no alto-falante: "Senhoras e senhores, vamos ter um pequeno atraso porque... é... isso é tão constrangedor... eu... eu deixei a chave do avião lá em casa. Ficou naquele cinzeiro azul grande, junto da porta. Desculpem, vou rapidinho lá buscar a chave."

Você vê aqueles técnicos correndo para baixo do avião e pensa que estão fazendo manutenção, mas, na verdade, estão procurando aqueles imãzinhos com chave pendurada presos debaixo da asa.

Estou no avião, partimos com atraso e o piloto diz: "Vamos tentar ganhar algum tempo para compensar." Aí, eu penso: "Interessante. Eles compensam o atraso. Como? Fazem tempo." É por isso que a gente tem de acertar o relógio quando aterrissa.

É claro, quando eles dizem que vão ganhar tempo, estão só aumentando a velocidade do avião. O que eu quero saber é: se eles podem ir mais rápido, por que não vão sempre o mais rápido possível? "Vamos lá, pessoal, não tem guarda de trânsito aqui em cima! Pé na tábua! Manda ver!"

Pode-se medir a distância pelo tempo.

"A que distância fica aquele lugar?"

"A uns 20 minutos."

Mas não funciona ao contrário.

"Quando é que você sai do escritório?"

"Por volta de três quilômetros."

Adoro aqueles banheirinhos de avião. É como o seu próprio apartamentozinho no avião. Você entra, fecha a porta, a luz se acende sozinha. É como uma festinha-surpresa toda vez que você entra.

E adoro o cartaz no banheiro. "Como cortesia para o próximo passageiro, por favor, limpe o assento com a toalha de papel". Bom, sejamos corteses de verdade. Desculpe, mas esqueci de trazer minha escova de limpar o vaso. Quando foi que começou essa Irmandade de Passageiros? "Você perdeu sua bagagem? Leve a minha. Somos todos passageiros. Por falar nisso, o banheiro ficou bem limpinho para você? Eu não achei o desinfetante, senão deixaria o vaso brilhando."

Tudo nos aviões é pequeninninho.

É sempre comida pequeninninha, garrafinhas de licor pequeninhas, travesseiros pequeninninhos, banheiro pequeninninho, pia pequeninninha, sabonete pequeninninho. Todo mundo fica numa poltrona apertada, trabalhando num computador pequeninninho. Há sempre "um pequeno problema, vai haver um pequeno atraso, chegaremos um pouquinho atrasados, por favor, tenham um pouquinho de paciência. Estamos tentando arranjar um desses caminhõezinhos, para nos puxar um pouquinho mais perto daquela minhoquinha fininha. Ali estará um funcionário com uma jaquetinha vermelha que lhes dirá que vocês têm muito pouquinho tempo para fazer sua conexão. Portanto, mexam-se!"

Eu estava no avião quando era o primeiro dia de trabalho da aeromoça, mas ainda não tinham arranjado um uniforme para ela. E isso faz muita diferença. Quer dizer, é uma pessoa comum que chega para você e diz: "Por favor, ponha o encosto na posição vertical."

Aí eu disse: "Quem é você?"
"Sou a aeromoça."
"Ah, é? Então eu sou o piloto. Senta aí, eu vou fazer o avião aterrissar."

Não sei por que as pessoas têm sempre a mesma reação quando ouvem sobre um desastre de avião.
"Desastre de avião? Que empresa? Para onde estava indo?"
Como se fizesse alguma diferença:
"Ah, *aquele* vôo. Ah, sim, nesse caso eu entendo."
Como se fosse natural que alguns aviões caíssem.
Você vai comprar a passagem na agência: "Escuta, nesse vôo os aviões costumam cair muito, não é?"
"É verdade, caem sim. Temos um outro vôo, mas nesse o avião explode na decolagem. Mas servem almoço."

Voar não me dá nervoso. Dirigir até o aeroporto é que me deixa nervoso. Porque, se você perde o avião, não há alternativa. No chão, você tem opções: ônibus, táxis, trens.
Mas, se você perde um avião, acabou-se. Nenhuma companhia aérea diz: "Bem, você perdeu o vôo. Temos uma bala de canhão partindo em dez minutos. Está interessado? Não é uma bala expressa, você vai ter de fazer conexão em outro canhão." "Muito bem, vamos mirar em... para onde é que você está indo? Chicago? Ah, sim, Dallas. Deixa eu apontar então. Um pouquinho para a direita... Dallas, Dallas, fica em... ah, no Texas, é. Vou mirar no Texas. Está pronto? Olha, assim que chegar saia logo da rede porque nós disparamos a bagagem logo depois de você."

O pior modo de voar, na minha opinião, é ficar na fila de espera. Já ficou na fila de espera? Nunca funciona. É por isso que chamam de espera. Você só faz é esperar.

Ah, sim, só mais uma coisa.

Atenção, todos os comissários de bordo: parem de nos acordar nos aviões para comer aquela comida horrorosa. Se estivermos dormindo, nos deixem dormir. Quem quer ser acordado na cama para comer uma omelete frio e duro? Não, ninguém quer. A gente come quando acordar. Por que isso, é alguma emergência? Vocês acham que sua comida é a única no mundo? Se eu perder o almoço, qual é o problema? *Tem comida em todo lugar*. Estou pouco me lixando. Quem é que treina vocês? Vocês já fizeram alguma viagem de avião?

Lembre-se: das duas coisas que você pode fazer num avião, dormir é a mais difícil. Comer é muito fácil, facílimo. Se a gente conseguiu fazer a difícil, não venha nos sacudir para fazermos a fácil, isto é, comer aqueles bolinhos de merda.

Queremos chegar ao lugar para onde estamos indo, e se possível, não completamente exaustos. Isso é o que importa para nós. Aquelas bandejinhas hediondas com ensopado de mosca são apenas um mal necessário. Ponham isso nas suas cabecinhas. Entenderam? Obrigado.

SEGURANÇA NO EMPREGO

Há tantos empregos, ocupações e maneiras de ganhar a vida. E todo mundo que arranja um emprego, pensa que conseguiu alguma coisa de importante, um trabalho fácil de fazer.
Ou horário curto. Ou salário bom. Basicamente, o único incentivo de que uma pessoa precisa para aceitar um emprego é que lhe mostrem outro em que o trabalho é igual, mas o salário é um pouco menor. Então, o emprego dela automaticamente se torna o que chamamos de "um trabalho nada mau". É tudo o que queremos — "um trabalho nada mau" — para ficarmos felizes.
Alguns dirão que arranjaram "um grande emprego". Esses ganham demais. A Receita Federal precisa ir atrás desses caras que acham que arranjaram um

grande emprego. Essa é a solução para o déficit público.

E além do mais essas pessoas são muito chatas. "Ah, é? Arranjou um grande emprego? Pois fique sabendo que, a partir de segunda-feira, você vai receber o salário só de dois em dois meses. Continua grande agora?"

Ninguém gosta dessa gente que arranjou um grande emprego. Eles são quase tão odiados quanto aqueles que arranjaram um grande apartamento.

NO ESCRITÓRIO

Eu nunca tive um emprego de verdade. Já trabalhei, mas emprego mesmo, nunca.

Para mim, a coisa mais chata que descobri naqueles dois meses em que eu trabalhei num escritório é que, quando a gente aparece de manhã e diz "oi" para todo mundo, depois por algum motivo tem que continuar cumprimentando aquelas pessoas toda vez que passa por elas. Você entra de manhã: "Bom dia, Osvaldo. Tudo bem?" "Tudo bem."

Dez minutos depois, você vê o cara no corredor e diz de novo: "Tudo bem?" Eu já sei que está tudo bem, ele me disse. Mas tenho de dizer aquilo de novo, toda vez que encontro o Osvaldo. Então a gente tem que ficar inventando cumprimentos diferentes. "Fala." Ou, então, um sorrisinho e um levantar de sobrancelhas. Aquele "Opa" baixinho com um princípio de sorriso. Se o corredor for estreito, então, graças a Deus, você pode variar: "Dá licença." Mas tem de ser com um sorriso. A sílaba "cen" tem de ser mais aguda. Se você é amigão dele, pode optar por "Opa, tá apertado aqui." Isso é popular. Se você passa por uns três ou mais homens, um sorrisinho com um "ssss" é sofisticado.

Referências ao dia da semana são sempre boas, especialmente segunda ou sexta, por causa daqueles sentimentos obrigatórios. Em relação a elas qualquer menção do fim de semana para agradar às pessoas: "Bom fim de semana?" "Teve um bom fim de semana?" As pessoas gostam de qualquer coisa que tenha fim de semana no meio. Quinta-feira é bom para "Mais um dia", que geralmente provoca a resposta "É isso aí." Quarta-feira é "Dia chato". "Ah, isso é."

A gente devia combinar que todo mundo vai dizer "Oba" sempre que passar pelos outros. "Oba, oba." Assim, ninguém precisa fundir o cérebro bolando cumprimentos cada vez que quiser ir ao banheiro.

Outro dia, eu estava vendo um filme sobre a Segunda Guerra Mundial, com nazistas na história. E eu reparei que os nazistas sempre tinham dois "Heils" diferentes. Um era aquele normal, e outro era um bem informal, quando estavam no escritório. Em vez do braço esticado, um mostrava a palma da mão para o outro. Lembra? Eles entram no escritório e "Olá, Heil, como vai? O garoto já trouxe o café? Você acabou de usar a copiadora?" Então tá, dominação do mundo, raça ariana, essa história toda. "Heil, legal te ver. Me dá uma mordidinha desse biscoito?"

Francamente, não acredito que as pessoas pensem em seu escritório como um lugar de trabalho. Acho que pensam nele como uma mistura de papelaria com delicatessen. Você vai, leva os docinhos, os envelopes e o bloquinho, toma seis xícaras de café e vai para casa.

Gosto de quase todo tipo de trabalho. Não sei qual é o meu problema, mas já aprendi a não falar sobre isso, porque as pessoas ficam incomodadas. Uma coisa importante do *show business*: A palavra "trabalho" tem uma conotação completamente diferente. No *show business*, se você está trabalhando é bom. Se você não está trabalhando, é mau. Exatamente ao contrário dos empregos normais.

Há sempre uma tremenda pressão sobre as pessoas nos locais de trabalho: todo mundo tem de detestar o trabalho, tem de detestar seu emprego e cada segundo que passam trabalhando é puro sofrimento.

Por que os caras que trabalham em escritórios têm retratos de sua família nas mesas? Será que é para não esquecer que são casados? Será que eles dizem para si mesmos: "Oba, cinco da tarde. Hora de ir para os bares pegar umas putas. Espera aí, olha esse retrato! Eu tenho mulher e três filhos! Tinha me esquecido! É melhor ir para casa."

GENTE DA LEI

O que são realmente os advogados? Para mim, um advogado, basicamente, é a pessoa que conhece as regras do país. Estamos todos lançando os dados, jogando o jogo, movendo as peças no tabuleiro, mas se houver algum problema, o advogado é o único que leu as instruções no lado de dentro da tampa da caixa.

Acho que a coisa mais divertida que um advogado pode fazer é dizer: "Objeção."

"Objeção! Objeção, meritíssimo!"

Objeção, é claro, é a versão adulta de "Isso não pode!" E o juiz pode dizer duas coisas. Pode dizer "Mantida", o que é a versão adulta de "Não pode, não", ou pode dizer "Rejeitada", o que é a versão adulta de "Bobão!"

Eu gostaria de ter feito carreira como policial. Você não gostaria de pegar alguém fazendo alguma coisa de errado? Eu ia adorar. Mas é justamente por isso que eu não poderia ser um policial, eu ia ficar feliz demais. Ia pegar alguém dirigindo em alta velocidade e aí: "Te peguei, te peguei, te peguei! Cento e quarenta por hora, te peguei!" Ia ser chato.

As pessoas gostam de pegar as pessoas. É por isso que no Velho Oeste se formavam aquelas milícias, para pegar os fora-da-lei: todo mundo queria participar. Hoje, você provavelmente não poderia formar uma milícia porque ninguém tem tempo para isso, e todos têm secretárias eletrônicas para saber quem está ligando.

"Alô, Geraldo, aqui é o Adalberto. Estamos tentando formar uma milícia... Geraldo? Você está aí? Eu sei que você está aí... Vamos lá, Geraldo, uma milícia... Por favor, Geraldo, atenda ao telefone, estamos tentando formar uma milícia..."

Não é surpreendente que os policiais ainda tenham de ler todo aquele negócio "Você tem o direito de ficar em silêncio..." para os criminosos que prendem? Quer dizer, existe alguém que já não saiba isso de cor? Eles só precisavam dizer: "Pára aí, você está preso. Você já viu algum capítulo de *Baretta*?"

"Já."

"Então, entra no carro."

Há tantos trabalhos diferentes para os policiais hoje em dia. Tenho a impressão que aquele cara que faz os desenhos a giz no chão tem um dos melhores empregos. Não é muito perigoso, os criminosos já foram embora faz tempo... parece um bom trabalho.

Não sei quem são esses caras. Imagino que sejam gente que gostaria de desenhar, artistas, mas não sabem desenhar muito bem. "Olha, Aristides, esquece essa paisagem, você acha que se a gente deixar o cadáver aqui, na calçada, você poderia fazer um risco em volta dele? Você consegue fazer isso?"

Nem sei como é que isso ajuda a solucionar o crime. Eles olham aquele negócio no chão e dizem: "Ah, o braço dele estava assim quando ele caiu na calçada, isso significa que o assassino deve ter sido... Ananias."

PRIMEIROS SOCORROS

Como terão sido os primeiros socorros há centenas de anos? Eles não tinham medicina, remédios, tecnologia, equipamento. Só podiam chegar depressa. Era isso. Primeiros socorros era só isso. Ficavam sentados ao lado, era tudo que eles podiam fazer.

"Você pode me ajudar?"

"Não, ajudar eu não posso. Mas chegamos aqui depressa. Não sei se você sabia disso. Você viu escrito do lado do caminhão 'Primeiros Socorros'? Pois é, esse é o nosso lema. Nós chegamos primeiro.

As pessoas gostam de recomendar seu médico aos outros. Não sei o que elas ganham com isso, mas ficam mesmo pressionando.

"Ele é bom?"

"É o melhor de todos. É o melhor."

Não pode haver tantos melhores. Alguém se formou com as piores notas da turma. Onde é que ele está? Alguém deve estar dizendo para um amigo: "Você devia ver o meu médico, ele é o pior. É absolutamente o pior que existe. Não importa o que você tenha, depois de vê-lo, vai piorar. O cara é um perfeito açougueiro."

E sempre que um amigo se refere a um médico, diz: "Não se esqueça de dizer que você me conhece." Por quê? Qual é a diferença? O cara é um médico!

"Ah, você conhece o Antônio Carlos? Ah, está bem, nesse caso vou te dar um remédio de verdade. Para os outros eu estou dando pastilhas de hortelã."

Detesto a sala de espera, que é chamada de sala de espera porque não há chance de não ficar esperando. É projetada e construída para as pessoas ficarem esperando. Como é que eles deixariam você entrar direto, se eles fizeram essa sala justamente para você ficar esperando? E você fica sentado ali com aquela revistinha. Finge que está lendo, mas na verdade, está olhando para as outras pessoas. "Qual será a doença delas?" Finalmente te chamam, e você pensa que agora vai ver o médico, mas nada disso. Você está indo para uma sala de espera menor, onde não tem revista. Nem as calças. Fica olhando para aqueles folhetos sobre câncer do cólon, olhando a rua pelas frestas da persiana.

Mas, medicamente falando, é sempre bom estar numa sala pequena. Sala grande é ruim. Já viu aquelas salas de cirurgia enormes, com arquibancadas feito um estádio? É horrível estar lá, sendo operado, enquanto os outros médicos comentam: "Tenho de ver isso. É sério? Eles vão fazer isso mesmo? Tem cadeiras numeradas?"

Será que há cambistas? "Ainda tenho duas entradas para o tumor no cérebro, quem vai querer?"

Os formulários médicos estão ficando complicados, não é? Antigamente era: "Tive sarampo e cachumba, sou alérgico a penicilina." Agora é: "Qual era o endereço residencial de seu antigo empregador? Como é o nome do artista negro de *Máquina Mortífera*?" Para que eles precisam saber isso?

E é tão difícil escrever com aquelas esferográficas presas em correntinhas, com anúncio de campos de golfe. Eles devem achar pouco o dinheiro que tiram da gente, vão também lá nos campos de golfe roubar canetas. É por isso que os médicos costumam não trabalhar às quartas-feiras: estão roubando esferográficas no campo de golfe.

Sempre tenho medo do que vão escrever naquele espacinho onde diz: "Somente para uso interno". O que eles põem lá? Vai ver que aquilo é só descanso para os copos, enquanto lêem os formulários. "Ih, Chico, olha só, esse cara está com uma doença esquisita... Ponha o drinque aqui, nesse espaço."

E por que o farmacêutico tem de pegar os remédios sempre naquela prateleira a dois metros e meio de altura? Ao que eu saiba, ele é só um *office-boy* que pega remédios, por que aquele ar de superioridade, falando com a gente lá de cima? Cirurgiões cerebrais, pilotos de avião, físicos nucleares, todos são da nossa altura, mas ele não. Ele tem de ficar lá em cima. "Olha aqui, todo mundo, estou pegando pílulas aqui em cima. Saiam de perto, preciso de espaço. Vou pegar esse vidrão aqui e botar as pílulas nesse vidrinho."

A única parte difícil do trabalho dele é escrever tudo naquele rótulo minúsculo. É um monte de palavras. Impressionante. Mas botar pílulas num vidrinho, vestido de branco — não sei para que ele precisa de um diploma.

E há o psiquiatra. Por que será que a hora do psiquiatra só tem 50 minutos? O que eles fazem com os dez minutos que sobram? Vai ver que ficam lá pensando: "Nossa, que cara mais maluco. Não dá para acreditar nas maluquices que ele diz. Doido de pedra. Quem será o próximo? Ih, outro piradão."

E qual é a regulamentação dos paranormais? Eles deveriam ser registrados. Não seria difícil. Fariam uma prova escrita, mas de venda nos olhos.

HUMORISTAS

O mais difícil de ser um palhaço é que todo mundo te chama de palhaço. "Quem é esse palhaço?" "Com esse palhaço eu não trabalho." "Você contratou aquele palhaço?" "Esse cara é um palhaço."

Como é que você sabe que quer ser um palhaço? Acho que chega uma hora que suas calças estão tão amarfanhadas, que é melhor virar palhaço do que passá-las a ferro.

Se você pensar bem, um palhaço, se não tiver um circo em volta, é um cara muito chato. Quero dizer, você está sentado no banco de trás do Volkswagen de um cara e ele não pára de pegar caronas. Mais um? Vai ficar apertado.

Entrevistadores nunca parecem saber quanto tempo falta para acabar o programa, não é? Estão sempre olhando para os lados. "Ainda temos tempo? O tempo acabou? Quanto tempo temos?"

Você nunca vê o bandido, num filme policial, dizer: "Estrangulo esse cara aqui mesmo ou vamos dar uma pausa? Você topa levar mais uma surra? Olha, vamos fazer o seguinte: eu te dou mais um soco no nariz, aí vem o comercial, na volta a gente faz uma perseguição de automóvel. Fique com a gente."

Acho que nada pode competir com a mágica, em matéria de diversão humilhante.

Qual é a idéia do *show* de mágica? O mágico chega, faz você de bobo, você se sente um idiota, acabou o *show*. Você nunca sabe o que foi que aconteceu de verdade. Ninguém explica. E o pior é a atitude do mágico quando está fazendo o *show*.

É mais ou menos assim: "Aqui tem uma moedinha. Sumiu. Você é um babaca." Às vezes, ele pede para você soprar na moeda. É o tipo de coisa que adultos maduros fazem, soprar numa moeda ou num baralho de cartas. Gosto muito também de ver aquela cara de surpresa que os mágicos fazem quando o truque funciona. "Ué? Onde foi a moedinha? Que coisa, né?"

Las Vegas ainda é a maior cidade do mundo para se divertir. Pelo menos ali, todo mundo te explica as coisas.

Você chega ao hotel, o rapaz que leva a sua bagagem para o quarto explica como usar a televisão.

Você liga a televisão, um cara explica como ir ao cassino jogar.

Você joga, vai até a calçada e tem uma mulher que te explica como voltar para o quarto e usá-lo novamente.

E você continua nisso até acabarem as mulheres ou os jogos ou o dinheiro, e então, você volta para casa.

Desemprego. Coisa dura.

Tenho um amigo que é desempregado. Ele recebe cheque-desemprego. Ele nunca trabalhou tão duro na vida como agora. Ele vai toda semana, espera na fila, é entrevistado, inventa um milhão de mentiras a respeito de estar procurando emprego, tudo para continuar recebendo o cheque-desemprego.

Se eles fizessem idéia do esforço e da energia que ele emprega para evitar trabalhar, estou certo de que dariam um aumento a ele.

Nunca vi alguém trabalhando tanto para não trabalhar.

A COISA É A COISA

Gostemos ou não, as coisas são nossos representantes. A maior parte do tempo, as coisas das pessoas até parecem com elas. Todos estão sempre usando suas roupas perfeitas, não importa o que estejam vestindo. Para mim, tudo que você tem é uma camada de roupa. Sua casa é outra camada do robe de dormir. Depois o bairro, a cidade, o estado.
É tudo roupa.
Estamos vestindo tudo. É por isso que em certas cidades, não importa o que você esteja vestindo, você não é elegante. Só por estar ali. Em alguns lugares, é melhor se mudar do que se trocar.

MEU DINHEIRO NÃO ESTÁ TRABALHANDO

Não me dei bem como investidor.

Na verdade, perdi dinheiro em praticamente todos os investimentos que fiz. E muitas vezes perdi tudo que investi.

As pessoas sempre me dizem: "Você devia fazer seu dinheiro trabalhar para você." Bem, de agora em diante, decidi que vou fazer o trabalho e deixar o dinheiro descansar. Porque, quem sabe o que seu dinheiro já teve de fazer antes de chegar até você? Talvez tenha trabalhado, talvez esteja cansado. Talvez por isso, ele foi embora de onde estava. Talvez, se eu for bom para ele, ele fique comigo.

Detesto quando me telefonam para saber se meu cartão de crédito está direito.

Sempre tenho a sensação de que estão falando de mim. "Você não vai acreditar o que ele está comprando agora. É uma espécie de coisa amarela. Nem sei o que é, nunca vendemos esse negócio antes. Corre aqui para ver que eu vou tentar ficar segurando ele aqui."

A diferença principal entre a carteira do homem e a carteira da mulher é o compartimento para retratos. As mulheres levam sempre um retrato de cada pessoa com quem se encontraram cada dia da vida, desde o princípio dos tempos. E todos os retratos são velhos. "Essa é a minha prima quando tinha 3 anos. Ela está na Marinha agora. Esse é o meu cachorro, ele morreu durante a Guerra da Coréia." Um guarda manda parar o carro e ela está sem a carteira de motorista. "Aqui estão 56 pessoas que me conhecem." O guarda diz: "Está bem, senhora, eu só queria saber se a senhora tinha amigos. Pode ir. Verificação rotineira de amigos."

O que mais prejudica a nossa vida, pagar o imposto de renda ou fazer a declaração de renda? Acho que é páreo duro. Para mim, o que é triste nessa história de preparar o imposto, é quando você percebe que tudo o que um ano de trabalho duro produziu foi uma caixa de sapatos cheia de recibos. Então, eu a esvazio e no dia 1º de janeiro começo a encher de novo. É o que eu estou fazendo com a minha vida. Enchendo caixas de sapatos com pedacinhos de papel e mostrando para o governo.

Em vez de preparar o imposto, gostaria de poder levar a caixa de sapatos para Washington, direto para a Receita Federal. E dizer: "Está aqui, olhe. É a mesma caixa do ano passado. Vamos ter que fazer tudo de novo?"

Mas o que eu ganho em troca de todo o dinheiro que pago em impostos? Não tenho filhos, não uso escolas públicas. Não uso a polícia ou as prisões. Nunca chamei as Forças Armadas. Basicamente, uso o correio e a lista branca nas estradas. Ou seja, um terço da minha vida de trabalho em troca de selos e de dirigir em linha reta.

A Receita me investigou no ano passado. Passei por uma auditoria.

Embora o nome lembre receita de bolo, eles são indigestos. Há coisas que eles poderiam fazer para tornar uma auditoria mais divertida. Acho que podiam pegar todos os seus recibos e botá-los numa daquelas urnas enormes da loteria e ficar rodando — sabe como é, para dar a sensação de que você poderia ganhar alguma coisa. Depois iam tirando os recibos, um por um, e dizendo: "Ah, que pena! Outra dedução ilegal. Mas temos um presente de consolação para você: cadeia."

VIDA DE CRIMES

Nunca fui para a cadeia. Mas penso um bocado sobre a cadeia, não sei por quê. Penso em como eu arrumaria a minha cela. Quantas flexões faria.

Eu vivo sozinho, de qualquer forma, é mais ou menos o mesmo. Estou na solitária.

Como é que a gente pode deixar de pensar sobre a prisão? Toda noite, na televisão, tem gente indo para lá. E sempre que estão levando algum terrorista, psicopata, *serial killer*, a gente repara que ele está cobrindo o rosto com um jornal, um paletó, um chapéu.

O que tem de tão importante na reputação de um homem, para ele se preocupar com esse tipo de coisa? Será que ele está a ponto de receber uma boa promoção no emprego? Está com medo de que o chefe veja isso na televisão e diga: "Ei, esse não é o Eribaldo, do departamento de vendas? Ele estava lá em cima daquela torre atirando nas pessoas. Acho que não é o homem certo para chefiar aquela nova seção. Acho que ele ficaria melhor na cobrança."

Caí no conto do vigário pela vigésima vez, recentemente. E um dos meus amigos diz: "Chame a polícia. É melhor chamar a polícia."

Aí, você pensa: "É, vou chamar a polícia." Porque você assiste à TV. "Emboscadas, perseguições de carro, vamos ter um bocado de ação". Então, a polícia chega e eles preenchem um formulário e te dão uma cópia. Agora, a não ser que dêem ao vigarista a cópia dele, não sei como é que vão resolver esse caso.

Não é como no *Batman*, há uns três vigaristas na cidade e todo mundo sabe quem são. Poucos vigaristas se dão ao trabalho de criar um personagem diferente, para ficar mais difícil pegá-los. "Roubaram o rádio do seu carro? Pode ser o Pingüim. Acho que vamos conseguir encontrá-lo. Ele se veste feito um pingüim."

Para mim, hoje e sempre, Super-Homem é o maior. Não tem ninguém igual a ele. Ninguém pode competir com ele. Não quero saber se ele está morto ou vivo, se vive num planeta em torno de uma estrela vermelha ou amarela, ele é o Super-Homem e ponto final.

Mas, de todos os Super-Homens, histórias em quadrinhos, filmes, desenhos, George Reeves será sempre o meu favorito. Porque o interessante a respeito do Super-Homem é que o ator nunca mais se livra dele. Lá no planeta dele, ele era normal; mas aqui, é o Super-Homem. E assim foi com o George Reeves. Ser o Super-Homem virou o destino dele.

Ele queria ser o Super-Homem? Talvez sim, talvez não. Mas era o Super-Homem. Ele parecia o Super-Homem. Aquela roupa cheia de enchimento, os roteiros mal escritos, os cenários mal feitos, ele tinha de encarar aquilo tudo. Não tinha jeito, ele era o Super-Homem.

Talvez eu goste do Super-Homem porque gosto de lembrar quando acreditava naquilo tudo. E nada testa mais a fé de uma pessoa como um seriado de televisão.

De qualquer forma, tenho umas perguntinhas. Onde estavam os outros repórteres do *Planeta Diário*? Onde estavam os outros policiais além do Inspetor Henderson? Por que os bandidos vinham sempre em pares, um esperto e outro bobo? Que tipo de disfarce é um par de óculos? E sem lentes? Para quem o Clark Kent sempre piscava no fim? Para mim? Por quê? Eu não estava ali, eu estava vendo televisão. Por que destruir aquela credibilidade tão frágil depois de eu passar 30 minutos vendo o programa? E acima de tudo, por que o Super-Homem não dizia a Lois e ao Jimmy: "Olha, vocês não estão ajudando. Só estão tornando mais difícil o meu trabalho. Por favor, me deixem cuidar sozinho dos bandidos. Podem crer, eu dou conta do serviço."

Mas, quando você quer gostar de alguma coisa, nunca deve deixar que a lógica te atrapalhe. Como os vilões em todos os filmes do James Bond. Sempre que ele entra no esconderijo: "Ah, Mr. Bond, seja bem-vindo. Deixe-me mostrar-lhe todo o meu plano sinistro e depois matá-lo com uma máquina que não funciona."

Outra coisa estranha a respeito dos filmes do Bond é que eles têm o pior sujeito do mundo e o melhor sujeito do mundo, e você acaba gostando igualmente dos dois.

Os seguranças nos museus de arte já impediram alguém de levar aqueles quadros? Será que eles dizem para os ladrões:

"Ei, ei, onde é que você pensa que vai com isso? Ei, vem cá, devolve esse Cézanne." Olhem o serviço que esse homem é contratado para fazer. Ele recebe cinco dólares por hora para proteger milhões de dólares de arte e com o quê? Ele usa um uniforme marrom claro e tem um jornal debaixo do braço. É tudo. Ora, os bandidos devem olhar para ele e pensar: "É só passar por aquela cadeira dobrável e pela garrafa térmica de café e a gente pega o Rembrandt."

É um fato da vida que tem gente querendo pegar seus bens. Eles tentam roubar as suas coisas. Por isso, todo mundo tem suas medidas de segurança, coisas que eles pensam que vão enganar os ladrões. Você vai à praia, cai na água, mas antes, põe a carteira no chinelo... quem vai adivinhar? Que mente criminosa poderia penetrar nessa fortaleza de segurança? Botei um elástico no dinheiro. Pronto, está seguro. Ponho dentro do tênis, na ponta. Eles nunca procuram ali. Só olham o calcanhar e vão embora.

Ou então, a gente tem uma televisão no assento traseiro do carro. Se a gente vai sair do carro por alguns minutos, põe um casaco em cima da TV. "É só um casaco enorme, quadrado, com uma antena no meio. É um casaco Philco."

MÍDIA MIDÍOCRE

Para mim, a pior coisa da televisão é que todo mundo que você vê na tela está fazendo alguma coisa melhor do que você. Você nunca vê ninguém na televisão esparramado no sofá com farelo de batata frita na camisa.

Algumas pessoas se divertem demais na televisão. Esse pessoal dos anúncios de refrigerantes — onde é que eles arranjam tanto entusiasmo? Você já viu? "Temos refrigerante, temos refrigerante, temos refrigerante!" Pulando, rindo, se atirando no ar. É só uma lata de refrigerante!

Você já ficou ali sentado, olhando a TV, e repara que está bebendo o mesmo refrigerante que estão anunciando? E eles estão jogando vôlei, andando de *jet-ski*, com as garotas de biquíni. Você sentado ali, pensando: "Vai ver que estou botando gelo demais. Não consigo nada."

Coisa detestável é aquele "continua". É horrível quando você percebe que vem um "continua" por aí. Você está vendo o programa, acompanhando a história, então só faltam uns cinco minutos e você percebe: "Ei, eles não vão conseguir. O garoto ainda está preso na caverna. Não tem como eles resolverem tudo em cinco minutos." Ora, você só assiste a um filme na televisão porque ele acaba. Se eu quiser uma história comprida, chata, sem fim, eu já tenho a minha vida. Um comediante não pode fazer isso. Eu não posso dizer: "Um homem entra num bar com um porco debaixo do braço... semana que vem eu continuo."

A TV tem tanto poder. Eu sei que tem, porque eu comprei a faca Ginsu. Comprei, sim. A Ginsu 2000. Não posso acreditar que eu fiz isso.

Não posso acreditar que eu anotei o número do telefone.

Não posso acreditar que eu telefonei.

Não posso acreditar que eu dei a eles o número do meu cartão de crédito.

Era tarde da noite, eu estava olhando o comercial e ele começou a parecer legal. O cara corta a lata, corta o sapato... e eu pensando: "Puxa, parece legal."

Duvido que qualquer das minhas facas possa cortar um sapato. E se, por acaso, o cadarço ficar com um nó que eu não possa desatar, e meu pé ficar preso no sapato? Como é que ele vai sair? Vou ter que abrir caminho a faca. Eu preciso dessa faca.

Então, eu telefonei e, por incrível que pareça, disse para eles: "Eu gostaria de encomendar a faca Ginsu." É, eu disse isso. E a mulher do outro lado respondeu: "É mesmo?"

Quer dizer, nem o pessoal da faca Ginsu acredita que alguém queira aquela coisa.

Pois agora eu tenho a faca Ginsu e meus sapatos estão todos cortados ao meio.

E eu não vejo mais televisão tarde da noite.

Nunca vou entender por que eles cozinham na TV.

Não dá para cheirar.

Não dá para comer.

Não dá para sentir o gosto.

No fim do programa, eles mostram a comida para a câmera. "Aqui está. Você não pode comer nem um pedacinho. Obrigado por assistir. Tchau."

Detesto aqueles anúncios de utilidade pública, onde eles tentam te convencer a doar órgãos.

"O pequeno Marcelinho precisa de um transplante de órgão. Ele só pode esperar que você faça alguma coisa bem idiota. Assine o cartão de doador e, quem sabe, pense em comprar aquela motocicleta possante. Que beleza, aquele vento soprando no seu cabelo, você sem capacete voando pela estrada..."

Há muitas coisas que você pode mostrar como prova de que os seres humanos não são inteligentes. Mas a minha prova favorita é que nós precisamos inventar o capacete. Pelo visto, o que estava acontecendo é que estávamos praticando numa porção de atividades que estavam quebrando as nossas cabeças. Decidimos *não* parar de fazer essas atividades e inventar um negócio para que pudéssemos continuar a gozar do nosso estilo de vida racha-crânios. O capacete. E nem isso funcionou, porque nem todo mundo usava o capacete, de modo que tivemos de inventar a lei do capacete obrigatório. O que é uma coisa ainda mais besta, porque é uma lei que visa proteger um cérebro cujo juízo é tão torto que nem tenta evitar que a cabeça onde ele está instalado se rache ao meio.

Os homens parecem ficar mudando de canal mais do que as mulheres. Ficam com o controle remoto na mão e nem sabem o que estão vendo. Ficam só dizendo: "Ih, reprise, que coisa idiota, esse cara é um idiota, essa mulher é uma idiota, muda, muda, muda."

"O que você está assistindo?"

"Sei lá, só quero ficar mudando."

"Quem era esse?"

"Sei lá, não interessa, tenho que ficar mudando."

"Ei, acho que isso era um documentário sobre seu pai."

"Não interessa, o que está passando no outro canal?"

As mulheres não fazem isso. Elas param e dizem: "Deixa eu ver que programa é esse, antes de mudar de canal. Talvez valha a pena ver um pouco, ficar apreciando, pode acabar ficando interessante." Mas os homens, não. Por que os homens das cavernas caçavam, enquanto as mulheres criavam as crianças? Por isso é que nós vemos TV de modo diferente.

Antes que houvesse o controle remoto, antes que houvesse a televisão, os reis, imperadores e faraós tinham contadores de história. É assim que eles se divertiam. Imagina se eles iam juntar 30 contadores de história só para ficar mudando de um para outro. "Tá bom, conta uma história aí. O quê? Não quero ouvir mais. Cala a boca. Agora você. O que você está falando aí? Tem mulher nessa história? Não? Cala a boca. Você. Como é? Não, não quero ouvir isso. Cala a boca. Não, continua. Não, não quero ouvir, cala a boca. Aliás, cala a boca todo mundo. Fora daqui. Vou dormir."

Revistas são outra forma de mídia de que eu gosto, porque, como a televisão, 95% é só: "E agora, como é que a gente vai encher esse espaço em branco?"

Você sempre sabe que não aconteceu nada de importante quando vê artigos como: "Os cometas mataram os dinossauros?" Isto é que é tema quente, não é? "Epa, o que aconteceu com os dinossauros? Eles não estavam aí agorinha mesmo?"

Talvez os cometas tenham matado os dinossauros, talvez eles tenham tropeçado e caído. Qual é a diferença? Nunca saberemos.

Não conseguimos resolver o assassinato do Kennedy, e aquilo foi filmado! Será que vamos ter mais sucesso no caso do estegossauro?

"Reúna aí todos esses répteis para acareação. Quero falar com aquela salamandra ali. Acho que ela sabe de alguma coisa. Olha aqui, mocinha, não me mostre a língua ou eu te dou uns tabefes."

O jornal de domingo é o pior de todos. É fim de semana, você está a fim de relaxar, e lá vêm eles com mil páginas de informação de que você nem desconfiava. Como é que eles podem te contar tudo o que sabem todos os dias da semana e sobrar tanta coisa no domingo, quando não tem nada acontecendo?

Olha, tenho uma notícia muito importante para vocês, nem sei se devia contar, porque ainda não é uma coisa definitiva... está bem, vou contar o que eu estou sabendo até agora.

De acordo com informações que vieram nesse envelope que recebi, parece que posso ter ganho alguns prêmios muito valiosos. Olha, ainda não é nada definitivo. Para ser honesto, eu nem sabia que estava concorrendo.

Mas, pelo que diz aqui, parece que estou entre as pessoas que eles estão escolhendo. É um negócio muito animador, e eu vou manter vocês informados, à medida que for recebendo notícias. Tenho de mandar alguma coisa para eles, não sei exatamente como isso funciona, mas está com uma cara boa.

Isso é que me incomoda com esses sorteios. Eles começam dizendo: "Você já pode ter ganho", e a gente cai nessa. "Ei, talvez eu já tenha ganho, talvez já tenha acabado, talvez eu seja o grande vencedor e nem saiba disso."

Gostaria que, pelo menos uma vez na vida, essas companhias tenham um pouco de coragem e digam a verdade às pessoas. Mandem envelopes dizendo: "Você perdeu." Você vira o envelope, do outro lado está escrito: "Não chegou nem perto." Você abre o envelope, dentro tem uma carta explicando: "A gente nem consegue acreditar como você se deu mal nesse sorteio. Onde é que você estava com a cabeça quando preencheu aquele formulário? Você não tem sorte nenhuma, nunca vai ganhar nada, sai daí, deixa de encher o saco da gente, some, você é o maior perdedor, nós te odiamos, tchau."

Medo do sucesso é um desses medos novos de que eu ouvi falar ultimamente. Acho que é sinal de que estamos com falta de medos. Uma pessoa que está sofrendo de medo do sucesso está raspando o fundo do tacho.

Vamos ter reuniões do tipo Alcoólicos Anônimos para essa gente? O cara pega o microfone e diz: "Meu nome é Anacleto e eu não suporto a idéia de ter um estéreo e um sofá cor de creme."

Os estudos mostram que o maior medo das pessoas é falar em público. O número dois é a morte. A morte é número dois? Isso não parece lógico. Quer dizer, se um cara vai a um enterro, ele prefere estar dentro do caixão do que fazer a oração fúnebre?

O que eu não entendo a respeito dos caras que se suicidam é que tem uns que tentam se matar, mas não conseguem, e pronto. Param de tentar. Por que não continuam tentando? O que foi que mudou? A vida deles melhorou agora? Não. Na verdade, piorou, porque agora tem mais uma coisa em que eles são uma merda. Acho que é por isso que eles não têm sucesso na vida. Desistem rápido demais.

Quer dizer, os comprimidos não deram certo? Tente se enforcar. O carro não quer pegar na garagem? Arranje um revólver. Nada é mais recompensador do que você alcançar a meta que você fixou para si.

SAIR E VOLTAR

Você pode dividir toda a sua vida em duas categorias básicas. Ou você sai ou você fica em casa. O resto todo é detalhe irrelevante. A vontade de sair e depois voltar é muito forte. Olha o que acontece com gente que não quer ficar em casa, mas tem que ficar.
Ficam deprimidos. Ou então, alguém que saiu, está sem a chave e não pode voltar.
Fica doido. Temos que sair. Temos que voltar. Quando você sai, tudo fica um pouco fora de controle e excitante. Algo pode acontecer. Você pode ver alguma coisa. Você pode achar alguma coisa. Você pode até ser parte de alguma coisa. Temos que sair!
Quando estamos de volta em casa, ficamos como o maestro de uma orquestra: a gente sabe onde está qualquer coisa e como fazer funcionar qualquer coisa. Podemos ir de uma parte da casa para outra. Sabemos exatamente onde estamos indo e o que vai acontecer quando a gente chegar ali. Somos um maestro vestido de cueca e meias. E é justamente porque sabemos tudo que temos de sair.

JANTAR FORA

Saí outro dia para jantar, e a conta veio no fim da refeição, como de costume. Nunca achei legal esse sistema da conta no fim da refeição. Porque o dinheiro é uma coisa muito diferente antes e depois de comer.

Antes de comer, o dinheiro tem muito pouco valor. Se você está com fome, vai a um restaurante e é como o líder de um império. Você não liga para o preço de coisa alguma. Você quer o máximo de comida, no mínimo de tempo.

"Mais bebidas, mais aperitivos, serviço, depressa, depressa. Coisas fritas em forma de pauzinhos ou de bolinhas. Vai ser a maior refeição da minha vida."

Mas, depois de comer, com a barriga cheia, você nem consegue se lembrar de ter estado faminto. Você vê gente entrando no restaurante e não consegue acreditar. "Por que essa gente está entrando aí? Estou entupido. Como é que eles podem comer?" Você está com as calças desabotoadas, guardanapo destruído, ponta de cigarro no purê de batatas. Nunca mais vai querer ver comida de novo até o fim da sua vida. E aí chega a conta. É por isso que todo mundo fica espantado quando vê a conta.

"O que é isso? Como é que pode?" Aí, fica todo mundo passando a conta em volta da mesa.

"Isso esta certo para você? Não estou com menor fome agora, por que comprar tanta comida?"

Às vezes, você vai num bom restaurante e eles botam a conta num livrinho. Que livro é esse, a história da conta? "Era uma vez um homem que pediu uma salada..." Tem uma fitinha dourada pendurada no livrinho. Que é isso? Estou me formando em alguma coisa? Devo pendurar isso no espelhinho do meu carro?

Todo mundo quer saber qual é a dieta do outro. "Você está bem, o que você come?" Pois bem, aqui está a minha:

Basicamente, eu como muito. Se estou com fome e tem alguma coisa na minha frente, eu como. Quando volto para um hotel tarde da noite, depois de um *show*, se tem um carrinho no corredor e no carrinho tem um pão que não está feio demais... eu como. Acho improvável que alguém no hotel decida envenenar um pão e deixá-lo no corredor, para o caso de algum comediante estar voltando para o seu quarto às duas da manhã.

Gente com fome faz coisas incríveis. Basta pensar no canibalismo. "Isso é gostoso. Quem é? Gostei dessa pessoa." Acho que o mais difícil de ser canibal é conseguir dormir direto a noite toda. Qualquer barulhinho e... "Quem está aí? Quem é? Tem alguém aí? O que você quer? Você parece faminto... está com fome? Vai embora!"

A Constituição proíbe punições cruéis e incomuns. Pessoalmente, o que me preocupa mais é o "incomuns". E acho que a maneira como tratamos as lagostas cai direto nessa categoria.

Não basta pegá-las, matá-las e comê-las. Gostamos de vê-las no tanque quando entramos no restaurante, passando o maior sufoco. Elas ficam mesmo com um jeito nervoso.

Uma vez, vi uma que parecia estar tentando limpar o tanque. "Eu trabalho aqui." As outras lagostas estavam rindo. "Podem ficar rindo, mas eu estou aqui há nove anos. Estão vendo aquelas duas pequenas? São minhas filhas, Crevette e Thermidor."

Sempre que você pede que eles separem alguma coisa para você levar para o cachorro, no restaurante, dá aquele sentimento de fracasso. As pessoas cochicham para o garçom: "Dá pra separar uma coisinha para o meu cachorro? Eu estou sem comida de cachorro em casa..." É chato, porque parece que você foi para o restaurante para arranjar comida de cachorro — a forma mais cara de alimentar um bicho.

Que tal arranjar comida para o cachorro num encontro com uma mulher? É uma boa. Olha, se você é homem e pede ao garçom comida para o cachorro quando estiver num restaurante com uma mulher, pode mandar ele embrulhar junto seu orgão genital. Você não vai precisar dele durante um bom tempo.

NA PLATÉIA

Recentemente, eu fui à ópera.

Nunca entendi a importância do maestro. Cá entre nós, que diabo aquele cara está fazendo ali? Será que você precisa que um cara fique balançando um pauzinho na sua cara para conseguir tocar violino? Isso ajuda? No começo, eu até entendo: "Atenção, lá vai, um, dois, três, agora!" Mas depois que começa, o que é que ele fica fazendo ali? Não posso imaginar o violoncelista olhando em volta: "Estou confuso, não sei o que fazer, estou perdido", e aí o maestro sacode aquele pauzinho: "Faça isso, isso e isso", e ele: "Ah, sim, obrigado, agora já sei o que fazer."

Muita gente na platéia da ópera fica usando aqueles binóculos pequenininhos. Eles precisam daquilo? Os cantores são pequenos, não dá para ver direito? Aquelas mulheres pesam 150, 180 quilos, usam umas roupas enormes, têm aqueles chapéus com chifres. Se você não consegue enxergá-las, esqueça a ópera. Pense em optometria. Essa é que é a sua praia.

No outro extremo do espectro físico, uma vez eu fui a um desfile de modas. É o tipo de negócio contraproducente para a indústria de roupas. Porque quando aquelas mulheres lindas estão andando ali, quem olha para as roupas? Eu nem reparei nelas.

Todo mundo aplaudia. "Maravilhoso, lindo!" Aplaudindo o quê? "Há um monte de mulheres bonitas ali, e nós também estamos aqui." É isso que nós estamos aplaudindo. "Estamos na mesma sala juntos. Bravo!"

Não que eu não ficasse impressionado com o estilista, mas, espera aí, qualquer um pode imaginar uma blusa. Talento mesmo é juntar todas aquelas mulheres no mesmo lugar.

Por que é que elas andam daquele jeito esquisito? Sabe como é? Vão andando depressinha, como se estivessem indo para algum lugar. Vão se balançando, cheias de si. E quando chegam ao fim da passarela... "Bom, acho que vou voltar."

Adoro ir a eventos esportivos. Adoro, adoro esportes. Basta ter alguém correndo por aí com um uniforme e eu quero ficar olhando.

Boxe, por exemplo. É o esporte mais simples e mais imbecil de todos. É quase como se aqueles dois caras estivessem loucos por competir um com o outro, mas não conseguissem pensar em algum esporte. Então, dizem: "Por que não ficamos simplesmente batendo um no outro durante 45 minutos? Talvez alguém queira assistir a isso."

É estranho, dois caras de *short* competindo por um cinto. Deviam dar a eles camisas ou calças compridas.

O problema, de verdade, é que os dois caras estão brigando sem terem discutido antes. Eles deviam fazer os dois subir ao ringue em dois carrinhos, dirigir um pouco, até que haja uma batida. Aí, eles saem.

"Você não viu que eu fiz sinal?"
"Olha o meu pára-choque amassado!"
Aí a gente ia ver uma briga de verdade.

Sobre a ginástica feminina eu tenho uma pergunta a fazer. A gente não devia estar olhando para as bundinhas delas, enquanto elas estão pulando para todo lado? Porque é isso que a gente faz, e não acho que está errado. Quer dizer, se está errado, eu paro, mas, até agora, ninguém disse nada. O árbitro nunca diz: "No julgamento desta prova serão computados os maiores escores e parem de olhar para as bundinhas delas."

Elas têm mesmo bundinhas sensacionais, e é difícil não reparar. Sempre que alguém fala sobre o que a garota precisa fazer para ganhar, eu penso: "Ganhar? Ganhar o quê? Ela já está com tudo!"

Os motoristas de carros de corrida e jogadores de tênis ganham para deixarem costurar o nome de companhias nos uniformes deles. Imagine quanto dinheiro iam ganhar essas ginastas se elas vendessem espaço para propaganda naquele lugarzinho! Bastava escrever: "Ponha seu anúncio aqui" numa bochecha e elas estavam feitas. Ou as mais bundudas: "Garantimos que as pessoas vão ler sua mensagem publicitária. Seu produto será conhecido em todo o mundo".

Luta livre. Tem uma coisa, muito simples, que a gente tem que perguntar sobre luta livre.

Se a luta livre não existisse, quem inventaria? Alguém podia imaginar que ia ser muito popular ver dois homens enormes vestidos de calção de banho fingindo brigar? Quem teria a coragem de tentar arranjar um patrocinador?

"Pode crer, Salomão, milhões de pessoas vão querer ver isso. Os caras vão ser imensos, a gente bota eles vestidos de calção de banho e eles brigam de mentirinha."

É o único esporte em que os participantes são atirados na platéia e ninguém acha que está acontecendo algo de estranho. Se você está assistindo a uma partida de golfe e Tiger Woods passa voando por cima da sua cabeça — bem, seria um torneio muito competitivo.

E o juiz de luta livre? Isso é que é emprego. Você é juiz num esporte que não tem regra nenhuma. O que é que você faz?

O juiz é como um dos Três Patetas, o Larry. Ninguém precisa dele, mas sem ele não seria a mesma coisa. Ele deve vir de uma escola onde ensinam a ficar correndo em círculos e não ver nada.

Botam o cara sentado, mostram a ele um filme da série "Desejo de Matar", e se ele achar que não está acontecendo nada de ilegal, então é contratado.

O contrário disso é salto ornamental nas Olimpíadas, que chega a ser deprimente de assistir, tão importante é o veredicto dos juízes.

Se o mergulhador espalha água demais quando mergulha, os juízes ficam putos. "Que diabo é isso? Esse é que é o mergulho dele? Pois é uma droga. Espalhou água demais. Coisa feia! Uns dois pingos quase me molharam. Ele tem que aprender a diminuir a velocidade quando estiver chegando na água."

Será que esses mergulhadores nunca ficam frustrados e decidem dar uma bruta barrigada? Seria legal ver aquele monte de água caindo em cima dos juízes. Eles iam ficar lá limpando os óculos. "Não vi a hora que ele chegou na água. Que nota você deu?"

Futebol. O que eu acho mais esquisito no futebol é que, você ao mesmo tempo é um milionário e, quando um cara sopra um apito, você tem que sair correndo atrás de uma bola.

Para mim, ser milionário é ter uns caras jogando bola por mim. Se quiser chutar eu chuto, senão, não. Quem manda sou eu.

"Sim, senhor, faço o gol agora, imediatamente, senhor. O senhor gostaria de tomar um uísque enquanto eu faço o gol?"

Para mim, a melhor atividade do mundo é ir ao cinema. Para ser honesto, o melhor de tudo é estar chegando ao cinema. Adoro estar chegando ao cinema. A gente ali no carro, estacionando... talvez a gente arranje uns bons lugares, talvez não... talvez seja um bom filme, talvez tudo seja bom. Você não sabe, e enquanto você não chegar, tudo é possível. É uma delícia: estou fazendo alguma coisa, mas ainda não fiz. É uma glória. Arranjei um emprego, mas ainda não comecei a trabalhar. Não tem nada melhor. Esses espaços dentro da vida são a coisa de que eu mais gosto.

Parece haver um problema de idade na contratação de gente para trabalhar nos cinemas. Eles nunca contratam ninguém entre as idades de 15 e 80. A menina que vende as entradas tem 10 anos. O cara que rasga ao meio as entradas tem 102. E o que aconteceu no meio? Não acharam ninguém? Parece que eles estão querendo te mostrar o ciclo da vida.

Quando você tem 15 anos, vende entradas. Aí deixa o emprego, se casa, tem filhos, uma carreira, netos... Oitenta anos depois, você está de volta ao mesmo cinema, a dois metros de distância, rasgando entradas.

Oitenta anos para andar dois metros.

O mais chato no cinema é quando você não consegue entender a história do filme.

Detesto ter que admitir isso, mas eu sou uma dessas pessoas que você vê depois, no estacionamento, discutindo com os amigos: "Como é? Então aquele era o mesmo cara do começo? Ahhhhhh." Ninguém te explica nada enquanto o filme está correndo. Você não consegue descobrir. Eu estou sempre sussurrando para o cara do meu lado: "Por que é que eles mataram aquele cara? Não entendo. Pensei que ele era amigo deles. Não era? Por que eles mataram, se ele era amigo deles? Ah, ele não era amigo deles? Então foi bom matar ele."

Há sempre muita gente fazendo "Shhhhh" no cinema. A gente ouve o tempo todo. Não adianta nada, porque ninguém sabe quem é que está fazendo Shhhhh. A gente só escuta Shhhhh. "Alguém fez Shhhhh? Acho que alguém fez Shhhhh para mim. Acho que foi, mas não sei de onde veio."

Algumas pessoas você simplesmente não pode mandar calar a boca no cinema. Eles falam e falam, todo mundo em volta fica fazendo Shhhhh e não adianta nada. São os inShh-hhhucháveis.

O único anúncio de filme que eu não entendo é: "Se você só assistir a um filme este ano..." Se você só assiste a um filme por ano, por que ir ao cinema? Você não vai gostar mesmo. A pressão é grande demais. Você fica sentado ali, pensando: "Bom, o próximo filme só daqui a 51 semanas, tomara que esse seja bom."

NA RUA

Eu estava na rua outro dia, telefonei de um telefone público, conversei um tempão, desliguei o telefone e, quando ia embora, o telefone tocou. Era a companhia telefônica: eles queriam mais dinheiro. Que maravilha! Pela primeira vez na vida, eles estão à sua mercê. Você está na rua. Eles estão no telefone. Eles não podem fazer nada. Deixei tocar algumas vezes e depois atendi:

"Alô, telefonista? Sim, estou aqui... Ah, sim, tenho o dinheiro... Tenho o dinheiro bem aqui. Está ouvindo? (bati a moedinha no fone)... é uma moeda de 25... Ah, você quer, não é? Pois olha, acho que a ligação não estava muito boa. Ouvi uns ruídos... Não gostei muito. Vou pensar um pouco sobre a questão. Por que você não me telefona depois? Vou estar aqui no bairro. Ligue para todos os telefones."

Engraçado, há sempre uma loja nas vizinhanças que está toda hora mudando de dono. Pode ser uma loja de cintos, ou de iogurte, de animais, mas está sempre mudando. Nenhum negócio dá certo ali. É uma espécie de Triângulo das Bermudas do varejo. As lojas abrem e, depois, desaparecem sem deixar vestígios. Ninguém sabe o que aconteceu com elas. Acho que alguns alienígenas pousam em seu disco voador, abre-se uma porta e aqueles donos de lojas são sugados. Depois são encontrados vagando por aí e murmurando: "Pensei que ia ter mais movimento... mas ninguém nem olhava para as vitrines..."

Há algumas semanas fui ao jardim zoológico. Fui ver as cobras. Olha, por que eles não dizem logo a verdade? Aquelas cobras estão todas mortas. Para que se dar ao trabalho de capturar uma cobra viva? É muito mais difícil e no fim é tudo igual. E os crocodilos? Paradões, têm até pontas de charutos e moedas na cabeça. Se o cara da Gucci chegar ali, vai logo dizer: "Olha, aquele grandão, mala. O menorzinho, mochila. Vamos indo, pessoal, tempo é dinheiro." Depois, os dois, no assento dianteiro da Kombi: "Eu te disse que a gente devia se mexer de vez em quando."

É muito fácil achar um *shopping center* e muito difícil achar qualquer coisa num *shopping center*.

Eles têm aquele catálogo eletrônico, mas o problema é que, mesmo se você consegue descobrir onde está e aonde quer ir, ainda não sabe em que direção seguir, porque a figura é vertical. Se você tivesse pés com sucção, para poder andar na vertical, tudo bem. Você simplesmente subiria pelas paredes até chegar a loja que quer. E seria conhecido. Quando te vissem subindo ou descendo pelas paredes, as pessoas diriam: "Ah, é um daqueles caras com sucção nos pés. Eles nunca ficam perdidos."

Todo *shopping* tem uma cutelaria. Deve ser o tipo de lugar apavorante para alguém trabalhar. Botam uma menina de 16 anos atrás do balcão e o dia todo tem gente entrando e dizendo coisas assim: "Preciso de facas. Mais facas. Você tem facas maiores? Mais afiadas? Preciso de uma faca grande, comprida, afiada. É isso que eu quero. Facas bem afiadas. Você tem alguma com aquele anzol na ponta? É esse tipo de faca que eu estou procurando. Preciso de uma para jogar e outra para esfaquear. Você tem alguma assim?"

O problema com o estacionamento do *shopping* é que tudo parece igual. Eles tentam diferenciar entre os andares. Botam cores diferentes, números diferentes, letras diferentes. Mas o que eles precisam fazer é dar nomes assim: "Sua mãe é uma piranha." Isso você ia lembrar. "Sei onde deixei o carro. Estamos no 'Sua mãe é uma piranha'." E seu amigo diria: "Não, o carro está no 'Seu pai é um bebum'."

Para mim, toda a cidade de Los Angeles é um *shopping*. Temperatura controlada, cheia de vagas, você não gosta daquele lugar, mas consegue ali tudo que quer.

O que há de errado com Los Angeles são aqueles alertas de poluição atmosférica. Às vezes, eles até recomendam às pessoas que fiquem em casa. Eu posso estar errado, mas você não acha que o ar dentro de casa é igual ao ar da cidade onde está a casa? O que, a gente vive em alguma caixinha com dois buracos em cima?

É muito estranho. Os pais podem até dizer para os filhos: "Muito bem, garotada! Quero ver vocês todos dentro de casa, pegando ar fresco. Vocês estão de férias, vão todos para dentro!"

Se a gente acreditasse mesmo naquele lema grego, mente sadia em corpo sadio, a gente só iria para as bibliotecas e a academia. O que eu acho espantoso na biblioteca é que é um lugar onde você pode entrar, pegar o livro que quiser e sair, e eles só dizem: "Por favor, traga de volta quando acabar de ler." Lembra aquele amiguinho bobo que a gente tinha quando era criança, que emprestava tudo que você pedia.

Biblioteca é isso: um amiguinho bobo financiado pelo Governo. Por isso que todo mundo fica chateando a biblioteca: talvez eu traga o livro de volta, talvez não. E daí, o que é que você vai fazer, me cobrar dez centavos? Que merda!

Mas as academias têm regras de segurança demais.

Não sei para quê. Aqueles seguranças, gente vigiando tudo... O que é isso, a Casa da Moeda? Afinal, se os membros, que podem ir todo dia, só vão duas vezes por ano, vai ter gente querendo penetrar? E daí, que grande coisa é essa, gente roubando nos exercícios? E se descobrirem, o que acontece? Eles saem correndo, o que é exercício aeróbico, levam mais vantagem ainda.

No meu quarteirão, uma porção de gente leva seus cachorros para passear, e sempre andam com aqueles saquinhos de plástico para cocô. Para mim, essa é a atividade mais baixa do ser humano. Andar atrás de um cachorro com um saquinho para pegar cocô. Esperando que ele faça cocô para você pegar e ficar andando com um saquinho cheio de cocô. Se houver alienígenas observando a Terra com telescópios, eles vão pensar que os cachorros são os líderes do planeta. Se você vê duas formas de vida, uma faz cocô e a outra carrega o cocô, quem é que você pensaria que está por cima?

É o que eu digo. Se depois de 50 mil anos de civilização chegamos a este ponto, é melhor desistir. Estou falando sério, vamos cair fora. Não vale a pena. Digamos que a raça humana é uma idéia que não deu certo. De início parecia boa, a gente ficou se esforçando um tempão, mas acabou não funcionando. Fomos até a lua, mas acabamos carregando saquinhos com cocô de cachorro. Em alguma hora as coisas deram errado. Vamos dar a vez agora aos insetos, ou quem for o próximo na fila.

EM CASA

Pintei meu apartamento de novo.

Há anos que vivo nesse apartamento, e toda vez que pinto, me sinto meio deprimido. Olho em volta e penso: "Puxa, parece um pouco menor." Pode ser só a espessura da tinta, mas a impressão fica do mesmo jeito. As paredes parecem que estão mais perto de mim. Toda vez que eu pinto, cada vez mais perto. Já nem sei onde estão as tomadas. Não consigo achá-las, é tinta demais. Eu procuro um bolinho com dois furos. Parece um porco tentando entrar pela parede.

Mas eu gosto do meu apartamento. Gosto dele arrumado e limpo. Assim é que eu gosto de viver. Minha idéia da sala de estar perfeita é a cabine de comando do *Enterprise*: poltrona grande, TV legal, controle remoto. Por isso, o *Star Trek* é a fantasia de todo homem: voando pelo espaço na sua sala de estar, vendo televisão.

É por isso que sempre aparecem alienígenas, porque o Kirk é o único que tem aquela TV de tela grande. Sexta à noite, luta de boxe entre dois *klingons*, todo mundo querendo assistir.

É isso, arrumado e limpo. É assim que eu gosto. Mas não gosto de limpar. Limpo, bom. Limpar, mau. Por isso, tenho de arranjar uma empregada. Mas não me sinto bem com uma empregada, porque dá aquele sentimento de culpa, quando alguém está limpando sua casa. Você sentado no sofá e ela passando por ali com o aspirador. "Desculpe, não sei porque deixei esse negócio aí. Foi sem querer. Deixei cair. Não reparei."

Por isso é que eu nunca poderia ser uma empregada. Seria desaforado. Se eu fosse uma empregada na casa de alguém, ia atrás deles, estivessem onde estivessem. "Quer dizer que você não pode fazer isso? Ah é, fica aí sentado e eu limpando a sujeira que *você* fez! Passar o espanador é trabalho demais para você, não é? Fica descansando, poupando energia para transformar esse lugar num chiqueiro fedorento, assim que eu sair."

Não sei cozinhar.

Mas tenho uma cozinha, e já estive ali.

Para mim, uma cozinha é só um quarto grande com uma torradeira. É assim que eu vejo o meu apartamento: quarto de dormir, sala de estar, quarto da torradeira.

No inverno, eu ligo a torradeira no máximo, para fazer as torradas mais escuras.

No verão, eu abaixo. Com o sol e o calor, gosto das torradas mais claras. Isso é tudo que eu sei de culinária.

Minha outra preocupação, em relação à comida, é se eu não estou usando um prato grande demais. Porque nesse caso vou ter de lavar área de prato não utilizada. Detesto lavar uma parte do prato onde não tinha comida. É pura perda de tempo, você está jogando fora a sua vida. Eu molho, passo detergente, enxáguo, enxugo. E tudo para nada. São coisas assim que vão se somando e, no fim, você pergunta: "Puxa, como é que o tempo passou tão depressa?"

Considero-me um mestre em viver eficientemente. Por exemplo, quando estou fazendo minha cama e enfio um lado do lençol debaixo do colchão, continuo curvado quando dou a volta para enfiar o outro lado. Para que me levantar e depois me curvar de novo? É desperdício.

Quando acabo de comer o cereal, guardo o prato com a colher dentro. Para que ter de abrir duas gavetas na manhã seguinte? Se eu vou precisar da colher, deixo ela ali. Quando é que eu vou querer aquele prato sem uma colher? Vou me preocupar com essa situação quando ela chegar.

Não tenho plantas na minha casa. Não consigo fazer com que elas fiquem vivas. Algumas nem esperam morrer, cometem suicídio. Uma vez, cheguei em casa e encontrei uma planta pendurada numa corda, com o vaso de xaxim caído no chão. Tinha um bilhete de despedida dizendo: "Detesto você e seus CDs."

Durante algum tempo, eu tive em casa uma barra de ferro para trancar a porta. Ela fica presa na parede, dos dois lados da porta, e ao que eu saiba, só serve para que o ladrão, depois de arrombar a porta, tenha alguma coisa para te bater na cabeça. Para que ficar procurando um busto de Beethoven ou algo assim? Ele termina o serviço mais rápido, volta para casa mais cedo. É mais eficiente.

Sempre gostei de viver em apartamento, mas o que se faz quando um vizinho começa a fazer uma barulheira às 3 da manhã? A gente bate na porta dele e pede para fazer silêncio? Eu não posso fazer isso. Eu não sou daqueles caras que fazem Shhhhh. Eu sou daquele caras para quem todo mundo faz Shhhhh.

Uma coisa que eu gosto, morando em Nova York, é a quantidade de gente diferente que se vê. Sou a favor da liberdade de imigração, mas parece aquela inscrição na Estátua da Liberdade — "Dêem-me os seus perseguidos" etc. Podia dizer simplesmente: "Olha, a porta está aberta. Vão entrando." A inscrição toda podia ser: "Dêem-me seus infelizes, seus tristes, seus moles, seus feios, seus bobos, essa gente que vira para a esquerda sem fazer sinal, aqueles caras que não sabem estacionar, os que não retornam telefonemas, os que vivem espirrando e assoando o nariz, os que têm caspa, ficam com fiapos de comida entre os dentes... qualquer imbecil que vocês consigam jogar num vagão de trem. Queremos esses caras."

É impressionante como as pessoas viajam milhares de quilômetros para se mudar para outra cidade e acham isso muito natural. Entram num avião e pronto: mudaram. Vivem lá longe agora. "É só mil quilômetros de distância. Agora estou morando lá."

Os pioneiros levaram anos para atravessar o país. Agora, as pessoas viajam milhares de quilômetros só para passar as férias. Imagine os pioneiros dizendo: "É, levamos uma década para chegar e passamos o verão lá. Foi legal, tinha uma piscina, os garotos adoraram. Aí, fomos embora, há uns dez anos, e voltamos. Foram umas férias muito boas, tudo isso levou vinte anos e nossas vidas estão no fim."

A VIAGEM DA VIDA

A vida é mesmo uma viagem. Estamos todos presos no cinto de segurança e não podemos fazer nada. Quando o médico te dá um tapinha na bunda, está recebendo a passagem e te mandando subir. Conforme você vai fazendo as transições da criança para o jovem, para o adulto, às vezes, você levanta os braços e dá um grito, às vezes, só agarra naquela barra de ferro na frente e agüenta firme. Acho que o máximo que você pode esperar da viagem da vida é que no fim seu cabelo esteja só um pouco despenteado, você um pouquinho sem fôlego e não tenha vomitado.

CICLO UM

Um bebê deixa todo mundo excitado. Exceto o bebê. Não tem graça nenhuma ser um bebê.

Eles não sabem que vão crescer. Nascem, olham para baixo e pensam: "É isso aí. Esse é o meu corpo. Mãos pequenininhas, cabeça enorme, sistema de esgoto defeituoso. Onde é que eu vou achar uma gravata de cinco centímetros?"

E aos seis meses de idade, te encarregam de brincar com uns brinquedos complicados, que você não faz idéia de como funcionam.

Eu tive uma caixa cheia de botões, chaves, maçanetas. E fiquei mexendo nela. Não sabia que não estava ligada em coisa alguma. Sujava as fraldas e todo mundo ficava aborrecido, e eu pensava que era por causa da caixa. "Acho que virei demais essa maçaneta."

E toda refeição é um completo mistério. Eles te sentam ali, põem o babador e você pensa: "Opa, deve ser lagosta."

E não é.

Eu não comia direito quando era criança. Minha mãe tentava disfarçar a comida para me fazer comer.

Nunca funcionou.

"Olha, mãe, eu sei que isso é fígado. Não sei como é que você fez ficar parecendo chocolate."

Detesto aqueles saquinhos de plástico com cereal. Não gosto que fiquem controlando quanto eu como.

E no lado da caixa, eles explicam como cortar nas linhas perfuradas e despejar o leite dentro da caixa. Para que isso? Vamos fingir que você não tem dinheiro para comprar um prato?

Mas tem uma coisa boa em ser adulto. O bom é que, se eu quero comer um *cookie*, eu como um *cookie*. Entendeu? Eu como três *cookies*, ou quatro *cookies*, ou onze *cookies* se quiser. E daí? "Antes do jantar, não." "Não muitos." "Você já comeu bastante." "Agora, não." Acontece, que agora eu sou adulto, passa para cá esses *cookies*. Às vezes, eu, de propósito estrago meu apetite. Faço um estrago completo. Aí, eu telefono para minha mãe logo depois, para contar: "Alô, mãe? Acabei de arruinar meu apetite comendo *cookies*."

E o que tem isso? Como adultos, nós sabemos que, se você estraga seu apetite, logo vem outro apetite. Não tem o menor perigo de acabarem os apetites.

Coisa boa era comprar sorvete no caminhão do sorveteiro. A gente fazia fila na traseira do caminhão. Lembro que a lista de sabores estava do lado do cano de descarga. O motor ficava ligado. Meus pais ficavam malucos se me pegassem fumando um cigarro, mas me deixavam ficar ali, 20 minutos, respirando fumaça de cano de descarga.

Se fizessem uma pesquisa, acho que descobririam que toda vez que um garoto tomava um sorvete, fumava o equivalente a três maços de cigarros.

O que me impressionava era que o vendedor enfiava a mão naquela portinhola e tirava exatamente o sorvete que você queria. Era como um truque de mágica. Eu achava que havia um anãozinho ali, entregando para ele os sorvetes.

Quando eu era garoto, a única coisa que eu gostava de verdade eram balas. Balas são o único motivo de você querer viver quando é criança. Até os dez anos de idade, as balas são a sua vida, não há nada mais. Família, amigos, escola... são apenas obstáculos no caminho das balas. E tinha aquelas balas favoritas. Os garotos acham mesmo que podem distinguir entre 21 tipos diferentes de açúcar puro.

Só um garoto de sete anos é capaz de saber a diferença. Quando eu era garoto, sabia a diferença entre as cores do M&M. Eu achava que eram diferentes. Por exemplo, o vermelho era um gosto mais forte, mais temperado. E o marrom claro era mais suave.

O que mais me impressiona no puxa-puxa é que, simplesmente, chamaram aquele negócio de puxa-puxa. Nem hesitaram. Pensaram assim: "A única pessoa que vai querer comer isso, é alguém que está a fim de ficar o dia todo com isso na boca, puxando para lá e para cá. Portanto, só podem ser puxa-puxas!"

Quando você já fez trinta anos, é difícil fazer um amigo novo. Sejam quais forem os caras com quem você vive, é com eles que você vai continuar vivendo.

Você não entrevista gente nova, nem olha para gente nova, não está interessado. Eles não conhecem os lugares, não conhecem a comida, não conhecem as atividades. Se me apresentam a um cara no clube ou na academia, é mais ou menos assim: "Olha, não tenho dúvida de que você é um cara legal, parece ter um potencial muito bom, só que no momento, não estamos contratando ninguém."

É claro que, quando você é criança, faz amizade com qualquer um. Praticamente não há exigências. Se tem alguém em frente da sua casa, é seu amigo e acabou. "Você é adulto? Não? Ótimo, entra! Vem para o meu quarto ficar pulando na minha cama!" E se vocês não tiverem nada em comum — "Você gosta de refresco de groselha? Eu gosto de refresco de groselha! Pronto, vamos ser amigos!"

Quando eu era criança, tinha um periquito. Foi o único animal de estimação de que gostei de verdade. Eu o deixava sair da gaiola e ele ficava voando por ali, esbarrando naqueles espelhos grandes que minha mãe tinha posto na casa. É aquela regra de decoração de interiores: um espelho faz a sala parecer maior. Imagine, o babaca olha o espelho e pensa: "Puxa, tem outra sala igual ali! E tem um cara que é igualzinho a mim!"

Mas o periquito caía nessa. Eu deixava sair da gaiola, ele voava em torno da sala e BUM!, dava de cara no espelho. E olha que periquitos não usam capacete quando voam, nenhuma proteção, só aquele cabelinho penteado para trás. Muito aerodinâmico. E eu sempre pensava: "Ele pode pensar que o espelho é outra sala, mas por que não se desvia daquele outro periquito?"

Mas não é preciso ter inteligência para ser um periquito. Basta passar num teste de duas perguntas: "Você sabe voar? Sua cabeça é lisa? Você é um periquito."

Lembro que eu ficava admirando meus animais de estimação, quando era criança. Porque, mesmo que fosse só uma tartaruga, era uma tartaruga adulta. Eu era só uma criança. Ficava com inveja da tartaruga.

Também tinha admiração pelos macacos. Os macacos contribuem muito para a sociedade, à seu modo. Para começar foram os primeiros astronautas. Aliás, isso deve fazer muito sentido na cabeça dos macacos. "Ah, então você quer que eu tire esse uniformezinho com chapéu, entre num foguete e fique em órbita terra a velocidades supersônicas. É, acho que pela lógica é o próximo passo para mim. Porque eu já trabalhei muito com aquele italiano do realejo, e portanto, acho que estou pronto para encarar a aceleração da gravidade num foguete espacial."

Acho que quando se é criança a gente pensa muito mais sobre os mistérios da vida. Uma coisa que sempre me intrigou é para onde os insetos estão indo. Eles nunca descansam. Estão sempre a caminho de algum lugar. Você põe a mão na frente deles, não tem problema: eles vão para outro lugar. Um novo destino. É como se você estivesse andando por aí e alguém deixasse cair uma muralha de 30 metros bem na sua frente. "Sabe, acho que vou para Toronto. É melhor do que viver nesse lugar esquisito, onde vivem caindo do céu muralhas de 30 metros."

Os insetos não entram em pânico em situações assim. E se o melhor amigo dele for um garoto de cinco anos, o caso é grave. O guri pode botar o inseto numa jarra com duas folhas de grama pelo resto da vida. Pode pegar uma lente num dia ensolarado e te fritar, coisas assim.

Porque todo garoto de cinco anos pensa que é um cientista louco. O cabelo despenteado, a aparelhagem de laboratório... Ele não só captura insetos como tem de testá-los. Testar sua resistência, sua capacidade de suportar a dor. Não por prazer, é claro, mas por motivos científicos.

Fui escoteiro quando tinha nove anos. Todos os escoteiros são sempre amigos, não importa o que sejam quando crescem. Se você usou aquela roupinha, nunca esquece. Lembro bem: calças azuis, camisa azul, amarelo, aquela fivela enorme de metal para prender o lenço no pescoço. Aí, eu saía, apanhava dos outros garotos, voltava para casa e botava a roupa normal. Não dava para ir para a escola vestido daquele jeito. Por isso é que a gente vivia em grupos: para sobreviver. É por isso também que a gente acampava no mato. Se a gente se vestisse normalmente, ia se hospedar num hotel como todo mundo. Mas vestido daquele jeito, você prefere se esconder no mato.

Na verdade, a única lembrança que eu tenho do tempo de escoteiro é tentar recuperar o boné. Era tudo que eu fazia:

correr feito louco atrás do ônibus gritando para o garoto na janela: "Devolve! Devolve!"

Havia umas medalhas de mérito, a primeira acho que era *lobinho*, depois *urso*. Nunca passei de *urso*. Eu pensava: "*Lobo, urso*... essa progressão é devagar demais. Nesse ritmo nunca chegaremos a arranjar mulher. Vamos lá, vamos acelerar esse negócio, quero ir a umas boates, comprar camisinhas... não tem muitas *ursas* por aí."

Aula de educação física era outro exercício de fascismo. A gente ficava naquela formação e tinha que estar usando a roupa certa, senão não tinha aula. "Lembrem-se, crianças, o exercício não faz efeito se vocês não estiverem usando a roupa certa."

Ser professor de ginástica para crianças é uma ocupação estranha. Que tipo de emprego é esse? Você fica andando de um lado para o outro com um apito na boca. Tem uma sala junto de um banheiro e fica torturando e humilhando garotinhos o dia todo. É esquisito. Sempre ali junto do chuveiro, parece um filme pornô.

Os dias de ginástica eram muito estranhos. Começavam normais, com Inglês, Geometria, História, e de repente, você estava na Primeira Guerra Mundial, pendurado numa corda, quase nu, com um adulto berrando: "Cadê o cadarço do tênis?" Os garotos jogam bolas em você, batem com as toalhas, e tudo que você faz é tentar sobreviver. E depois é Geografia, Ciências, Matemática. Um dia esquisito.

E as provas? Aquelas com redação, eu sempre me saía bem nelas. Escrevia tudo que sabia, alguma coisa tinha de acertar.

E quando a professora entregava as provas, só tinha uma coisa escrita: "Vago." Eu achava que "vago" era uma palavra muito vaga, e escrevia embaixo: "confuso" e mandava a prova de volta. Ela devolvia com "ambíguo". Eu tascava "nebuloso". Estamos nos correspondendo até hoje.

Um dos problemas da vida é que quando você é criança, tem um jeito de resolver as disputas que não funcionam na vida adulta.

Os garotos sempre resolvem as disputas pelo método de falar primeiro. Um diz: "O banco da frente é meu."

"Eu quero ir no banco da frente."

"Eu falei primeiro."

E o outro guri não tem saída. Ele falou primeiro, o que eu posso fazer?

Se houvesse um tribunal de crianças, seria assim:

"Meritíssimo, meu cliente queria ir no banco da frente."

O juiz pergunta:

"Ele falou primeiro?"

"Bem, não..."

O juiz bate o martelo.

"Objeção rejeitada. Ele tinha de falar primeiro. Caso encerrado."

Já te pegaram tentando passar para as cadeiras numeradas no estádio? Quando você é criança, não tem problema, vivem te expulsando de todo lugar. Mas quando você é adulto, é um mico. Você tem que fingir que se confundiu. Então, faz aquele, encenação, fica olhando para as entradas. "Ué, não sei como isso aconteceu... Deixa eu ver aqui... Ah, já entendi. É que esse lugar aqui é muito bom e o lugar onde eu estava era muito ruim. A confusão foi essa."

Quando eu era criança, o que mais gostava no parque de diversões era autopista. Que fantasia maravilhosa de estar dirigindo! E sem destino nenhum, só esbarrando nos outros. É isso que é o autopista: dirigir como um ato de pura hostilidade. Mas havia sempre um guri que se dava mal. Assim que começava a corrida, ele ficava preso no meio de um monte de carros vazios, e vinha um cara para tirar ele dali.

Sempre preferi viajar numa máquina a viajar em alguma coisa viva, como um cavalo. O cara que aluga os cavalos é sinistro, está com cara de deprimido, o cavalo está com cara de deprimido. Todo aquele negócio é uma depressão só.

Nunca entendi qual é a graça de andar num pônei. Lembro de ter andado de pônei quando era garoto. E acho que não fui eu que pedi. É uma experiência muito lenta, fedorenta, paradona. Uma voltinha em câmera lenta num caminho de terra poeirenta e muito cocô. Eu ali, sentado naquela coisa, e o cara puxando o bicho em volta de um círculo de cinco metros. Lembro que eu era pequeno, mas estava pensando: "Isso não faz o menor sentido. Alguém me tire de cima desse mutantezinho."

Para que servem esses animais? Além de se andar no pônei, para que serve o pônei? A polícia não usa aquele bicho. Acho que foi a engenharia genética que fez esse animal ficar tão pequeno. Será que eles podem fazê-lo de qualquer tamanho? Por exemplo, podiam fazê-lo do tamanho de uma moedinha, se quisessem? Seria bom para se jogar monopólio, não é? Você bota o bichinho na mesa e diz para ele: "Aí, fica aí, quando eu jogar o dado, te falo e você sai pulando."

O melhor brinquedo que eu tive na infância foi quando alguém ganhou uma geladeira nova e eu fiquei com aquela caixa enorme de papelão marrom.

Quando você é criança, isso é o mais perto que pode chegar de ter seu apartamento próprio. Você entra e pensa: "De agora em diante, vou viver aqui." Faz um buraco para fingir de janela, põe a cabeça para fora. "Mãe, pai, venham me visitar um dia desses. Vivemos tão perto. Estou morando aqui no Edifício Frigidaire, apartamento número 1."

INFLUÊNCIA PATERNA

Quando você é criança e está no assento de trás do carro de seus pais, você é um prisioneiro. Está no cativeiro. Não há nada para fazer ali. Tudo de bom está no assento da frente. O volante, o rádio, o porta-luvas, está tudo ali.

"Ah, se eu pudesse pôr minhas mãozinhas em alguma coisa ali... ia fazer um monte de mudanças. Para começar, não estaríamos ouvindo essa música."

Uma coisa de que eu gostava é que não havia essas cadeirinhas de criança, então eu podia ficar em pé no assento traseiro. Lembro que era tão pequeno que podia ficar em pé. Minha cabeça não chegava até o teto do carro. E havia um braço no meio do assento, e eu me apoiava nele como se estivesse num bar. "E aí, pai, dá para andar mais depressa? Me arruma aí uma coca."

Meus pais tinham duas discussões constantes no carro: a que velocidade meu pai estava indo e quanta gasolina tinha no tanque. Meu pai tinha uma defesa padrão para qualquer acusação: "É porque você está olhando o mostrador de lado. Se você estivesse aqui, ia ver. De onde você está sentada, parece que estou a 120 por hora com o tanque vazio, mas daqui dá para ver que estou a 80 com o tanque cheio."

Os pais gostam de arrastar os garotos para lugares históricos nas férias. Lembro de ter ido para a cidade histórica de Williamsburg, onde havia aqueles ferreiros supostamente de verdade. Sabe como é: aquele chapéu de três pontas, sandálias etc. Depois, você vê o cara tirando o carro dele do estacionamento. "Ei, pai, aquele não é o ferreiro?"

Será que os ferreiros desempregados ficam conversando sobre oportunidades de emprego? "É, preciso de uma bigorna para fazer uns trabalhos *free-lance*."

Meus pais me levaram para a terra dos Amish. Para um garoto, ver um monte de caras que não têm carros, nem televisão, nem telefone... "E daí? Eu também não." Quem quer ver uma comunidade de castigo? É assim que eles deviam castigar os garotos, depois que vissem a terra dos Amish: "Muito bem, filho, vá para o seu quarto. Você foi malcriado demais, agora chega. Você agora é Amish. Todo o fim de semana, está ouvindo? Amish! E não saia do quarto até ter feito macarrão e criado umas galinhas."

Todos os pais são intimidadores. Porque são pais. Basta um homem ter filhos e todo o resto da vida ele fica com essa atitude: "Dane-se o mundo, eu posso fazer gente. Como quando eu quiser, visto o que eu quiser e crio quem eu quiser."

Uma coisa que a gente nem gosta de imaginar são os nossos pais fazendo sexo. É muito desconfortável.

Você sabe que eles fizeram sexo pelo menos uma vez, já que você nasceu, mas mesmo assim mantém aquela imagem: "Bem, não sei. Não tenho certeza. Não posso provar. Não sei se aconteceu mesmo." Por isso é que eu acho que se descobrisse que fui adotado, isso seria uma grande notícia. "Fui adotado? Legal!" É bom ouvir isso, porque tecnicamente é possível que meu pai e minha mãe sejam só bons amigos."

Quer dizer, claro que sexo é muito bom etc., mas você não gosta de pensar que sua vida começou porque algum dia alguém bebeu vinho demais no jantar.

O poder que os adultos têm é incomparável. Ver televisão por tempo ilimitado, comer bolo sempre que quiser... você pode até ficar mexendo no termostato do ar-condicionado até estragar. É o controle de tudo.

Meu pai me botou tão maluco com aquele termostato que eu só consegui chegar perto de um quando já tinha 28 anos. Eu estava num hotel, em algum lugar e finalmente tive a coragem de mexer só um pouquinho naquela coisa. Não consegui dormir a noite toda. Estava com medo de que meu pai entrasse pela porta de repente: "Quem é que mexeu no termostato?"

Esperei, durante anos, que meu pai me levasse para um canto e me explicasse o segredo do termostato. Um dia, ele me botou no colo e foi contar aquela história da sementinha, do óvulo, do sexo. E eu disse: "Pai, esquece isso e vai logo para a parte do termostato."

Minha família era assim: minha mãe guardava um rolo extra de papel higiênico atrás do vaso sanitário, com um chapeuzinho de tricô em cima, com um pompom. Eu não sabia se era para as pessoas não saberem que era um rolo extra de papel higiênico, ou porque minha mãe achava que até o papel higiênico tem vergonha de ser o que é. O papel higiênico tinha um chapeuzinho, o cachorro tinha um suétar e os braços do sofá tinham umas coberturas de proteção. Nunca senti necessidade de provar drogas para alterar a realidade. Eu já vivia numa realidade alterada.

Os pais são os melhores empregadores. Porque não podem te demitir, por pior que seja o serviço que você faz.

Eu costumava cortar a grama por 5 dólares no fim de semana. Eu era o pior trabalhador do mundo. Às vezes, nem ligava o motor do aparador de grama. Só passava por ali para deixar as marcas na grama e dizia que tinha acabado. E ele não podia fazer nada. Meu pai não podia dizer: "Olha, filho, você não está fazendo um bom trabalho. Eu sei que você está na família há uns 15 anos, mas acho que não temos outro jeito senão demitir você. Não fique muito aborrecido. Estamos cortando despesas em todas as áreas. O cachorro só dorme dentro de casa a cada três semanas."

Meus pais vivem na Flórida hoje. Mudaram-se no ano passado. Não queriam se mudar para a Flórida, mas já têm mais de 70 anos e essa é a lei. Sabe como é, tem a polícia do lazer. Eles param o carrinho de golfe em frente à casa dos velhos, saem e gritam: "Vamos lá, coroa. Cinto branco, calças brancas, sapatos brancos, entrem aí. Larguem já esse cortador de grama. Larguem!"

E tudo que meu pai faz lá é ficar na banheira de água quente, na sauna. E quando eu não tinha nada a fazer, ia com ele. Vou te contar: entrar numa banheira de água quente com três ou quatro caras bem velhinhos, não é exatamente um folheto de academia de ginástica. Quando eles saem da banheira, parece um anúncio da força de gravidade. "Olhe o que a gravidade fez comigo. Ela também pode fazer com você."

A Flórida já não é quente e úmida o bastante para eles? Eles adoram o calor. Se algum dia quiserem mandar gente para o sol, acho que os únicos que vão conseguir se virar lá são esses aposentados da Flórida. Vão ficar sentados lá no sol, em bancos de madeira, com umas toalhas enroladas na cabeça: "Fecha essa porta! Estou tentando me esquentar aqui! Você está deixando escapar o calor do sol."

Nunca vi um velhinho usando um *short* de banho novo.

Não sei onde arranjam aqueles calções. Meu pai tinha calções de outros séculos. Se esquecesse meu *short*, ele sempre queria que eu usasse aquela coisa dele. "Precisa de calção? Tenho um aqui para você, filho. Pode usar o meu." Aquele negócio era o que uma sequóia usaria se fosse nadar. Eu entrava na água com aquilo e estava flutuando por toda parte. Já botou um calção assim? Você não sabe exatamente onde está lá dentro. Você vê alguém que conhece e tem de dizer alguma coisa assim: "Não, eu pulei de pára-quedas e estou esperando o barco salva-vidas."

Não gosto muito desse negócio de reunião de família. A gente fica ali sentado, e a conversa é tão chata que a gente começa a fantasiar. E se eu me levantasse e pulasse da janela? Simplesmente me atirasse? Voltaria depois, vidro quebrado por toda parte, o pessoal com cara de chateado.

"Não, não, tudo bem, pessoal. Só estava um pouco de saco cheio, agora estou bem de novo. Estou pronto para ouvir mais sobre a sua coleção de selos, tia Rosinha. Pode continuar falando."

Eu estou um pouco surpreso com a popularidade da câmera de vídeo. Especialmente com os pais. Será que a gente não aprendeu com aqueles filmes caseiros que nossos pais faziam quando a gente era criancinha? Quer dizer, pense naqueles filmes. Lembra deles? Era uma só tomada interminável de gente dizendo: "Pára com isso, desliga esse negócio, vai embora, você está enchendo o saco de todo mundo." É claro, não havia som, então parece que é gente acenando para a câmera.

Já acho difícil ficar interessado na vida real — ao vivo, a cores, aqui bem na minha frente. Por que gravaria minha vida para me sentar e assistir a uma fita de alguma coisa que eu mal agüentava quando estava acontecendo de verdade? As pessoas sempre me mostram suas videocâmeras. "Tem *zoom*." Legal. Para você pode chegar bem perto daquele troço chato. Maravilha.

NA HORIZONTAL

Quando um homem chega a uma certa idade, acontece alguma coisa e o jornal da televisão vira a coisa mais importante do mundo. Eu me lembro quando isso aconteceu com meu pai. Eu nunca vi ele aparecer na sala para assistir ao jornal. Eu só sabia que a TV era ligada de repente e, portanto, eram 11 horas. Estivesse onde estivesse na casa, ele desaparecia às 10h59m e reaparecia em frente da televisão.

Acho que todos os pais pensam que, um dia, vão receber um telefonema do Departamento de Estado: "Escuta, estamos completamente perdidos nessa questão do Oriente Médio. Você sempre acompanha as notícias, o que você acha que a gente devia fazer?"

Cheguei a uma idade em que troquei de papel com meus pais. Fazer compras com eles é mais ou menos como tentar organizar um passeio de patinhos. Eles ficam andando para todos os lados. Quá, quá, quá. Eu tento manter os dois juntos. "Mãe, papai está a uns três quarteirões lá na frente, você quer que eu vá buscá-lo ou vai tentar alcançá-lo? Pai, espera! Você não precisa ficar olhando essa vitrine, isso aí tem em toda parte. Quá, quá, quá. Agora façam fila! Vamos atravessar aqui, quando o sinal abrir. Quá. Vamos lá, está verde para os pedestres, vamos, vamos. Quá, quá, quá."

Agora eu me recuso a fazer compras com eles. Se querem sair comigo, eu os levo para um laguinho, deixo eles ficarem boiando por ali, depois enxugo os dois e levo para casa.

Para mim, o que é estranho a respeito dos velhinhos é que tudo deles fica menor. Sabe como é, os corpos deles ficam menores, eles se mudam para lugares menores, dormem menos, comem refeições menores... tudo menos o carro. Quanto mais velhos eles ficam, maior fica o carro deles. Eles dirigem umas caminhonetes enormes. Nunca entendi isso. E o jeito de saírem do estacionamento? Eles não olham para os lados, vão saindo. A idéia é: "Sou velho e estou saindo." "Rodei um bocado por aí, agora vou voltar para casa e vocês que se virem. Eu sobrevivi, sai da minha frente."

E depois que chegam à rua, dirigem devagarinho. Era de se pensar que quanto menos tempo você tem de vida, mais depressa você dirige. Acho que os velhos deviam correr o dobro da idade deles. Quem tem 80 vai a 160. Se já tem 100, vai a 200.

Eles não sabem mesmo para onde estão indo, pelo menos que se divirtam.

A expectativa de vida agora é de 72 anos para os homens, 75 ou 76 para as mulheres, ou coisa parecida. É impressionante pensar que há cem anos a expectativa era de 30, o que, se fosse hoje, significaria que o cara tira carteira de motorista aos 5 anos, casa-se aos 9, se divorcia aos 15 e se aposenta aos 18. E vai para a Flórida.

E as pessoas em volta começam a dizer coisas assim: "É impressionante, ele tem 28 anos e está completamente lúcido. Às vezes, dá a impressão que tem 11 anos."

Você sabe que está ficando velho quando seu bolo só tem uma vela, grandona, no meio. "Vamos ver se ele consegue soprar essa."

Coisa chata é quando eles têm de ajudar você a soprar. Sabe como é, aquelas festas de aniversário em que todo mundo fica do lado do velho e assopra junto, disfarçando. É triste, porque ele não sabe que estão ajudando. Ele pensa: "Olha só, apaguei tudo sozinho! E estava só tomando fôlego! Ainda vou viver muito."

É claro que a gente sempre poupa tempo. Corta um pouco aqui, um pouco ali. Mas por mais que a gente poupe, no fim da vida não dá para usar o que economizou.

"Como assim, não há tempo? Eu tinha um forno de microondas, meu suéter em vez de botões tinha velcro, minha gravata era presa com um grampo. Onde é que está todo esse tempo que eu economizei?"

Mas não há tempo. Porque eles descontam todo o tempo que você desperdiçou. Por exemplo, se você viu todos os filmes do Rocky, eles deduzem aquilo.

Portanto, é preciso ser cuidadoso. Você pode ir de Concorde para a Europa, mas se passarem *Debi e Lóide* no avião, você não economizou nada.

Para mim, se a vida se resume numa coisa, é o movimento. Viver é ficar se mexendo. Infelizmente, isso significa que a vida toda a gente vai ficar procurando caixas.

Quando você está se mexendo, todo o seu mundo é uma questão de caixas. É só nisso que você pensa. "Caixas, onde estão as caixas?" Você entra e sai das lojas. "Tem caixas aqui? Você viu alguma caixa?" É só nisso que você pensa. Você não consegue falar com as pessoas, não consegue se concentrar. "Quer calar a boca? Estou procurando caixas!"

Depois de algum tempo, você vira um perdigueiro farejando caixas. Você entra numa loja e: "Tem caixas aqui. Não vai me dizer que não tem, eu posso sentir o cheiro!" É uma obsessão. "Adoro o cheiro de caixas de papelão." Você pode estar num funeral, todo mundo chorando e você só olhando para o caixão. "Que caixa legal. Alguém sabe onde esse cara arranjou essa caixa? Quando ele tiver usado, será que pode ficar para mim? Tem umas alças legais. Meu estéreo ia se encaixar bem ali."

Quer dizer, a morte é a última mudança da sua vida. O carro fúnebre é um caminhão de mudanças, os caras que carregam o caixão são seus amigos íntimos, os únicos a quem você pediria que ajudassem numa grande mudança como essa. E o caixão é aquela caixa grande e perfeita que você estava procurando a vida toda. O único problema é que, quando você a encontra, você está dentro dela.

Este livro foi impresso na cidade do Rio de Janeiro
em outubro de 2000 pela
Gráfica VIDA E CONSCIÊNCIA ✆: 549-8344
para A Frente Editora.
O Tipo usado no texto foi Agaramond 12/15.
Os fotolitos do miolo e capa foram feitos pela Minion Tipografia.